Word wakker

Nadine Gordimer

Word wakker

UIT HET ENGELS VERTAALD
DOOR MOLLY VAN GELDER

DE GEUS

De vertaalster ontving voor deze vertaling een werkbeurs van
de Stichting Fonds voor de Letteren

Oorspronkelijke titel *Get A Life*, verschenen bij Bloomsbury
Oorspronkelijke tekst © Nadine Gordimer, 2005
Nederlandse vertaling © Molly van Gelder en De Geus BV, Breda 2006
Omslagontwerp Robert Nix
Omslagillustratie © Hollandse Hoogte/Non Stock
Foto auteur © Jerry Bauer
Druk Koninklijke Wöhrmann BV, Zutphen
ISBN 90 445 0767 2
NUR 302

Reinhold
2005

O, welke macht bepaalt
de onvoorspelbaarheid van het bestaan?

W.H. Auden, 'The Sea and the Mirror'

INHOUD

I

Kinderspel

Alleen de straatveger, die met zwiepende bezem gevallen bladeren uit de goot bijeenveegt.

Misschien hadden de buren het gezien, maar midden op een doordeweekse ochtend was iedereen natuurlijk naar zijn werk of elders bezig met de dingen van alledag.

Ze stond bij het hek van de oprijlaan van haar ouders toen hij aankwam, kon een glimlachje voor hem opbrengen en snel het signaal opvangen om hardop te lachen om die wonderlijke, absurde (maar tijdelijke) situatie, om te accepteren dat ze elkaar niet mochten aanraken. Afzien van een aanraking is minder emotioneel dan afzien van een omhelzing. Alles is heel gewoon. De straatveger loopt voorbij en duwt het einde van de zomer voor zich uit.

Stralend.

Letterlijk stralend. Maar geen licht uitstralend, zoals heiligen met een aureool worden afgebeeld. Hij straalt onzichtbaar gevaar voor anderen uit door een vernietigende stof die hem is toegediend als middel tegen wat hem nu vernietigde. Wat hem bij de keel had gegrepen. Schildklierkanker. In het ziekenhuis werd hij in isolatie gehouden. Zelfs die van de stilte: hij had een tijdlang geen stem. Stom. Stembanden aangetast. Nog steeds, zonder daar zeggenschap over te hebben, stelt hij andere mensen en dingen bloot aan wat hij uitstraalt, wie of wat hij ook aanraakt.

Alles moet heel gewoon zijn.

Geroep vanuit het ene autoraampje naar het andere: heeft ze zijn laptop niet vergeten? Cassettebandjes? Zijn Adidas? Het boek over het gedrag van verhuisde olifanten, waar hij middenin zat toen hij terugging naar het ziekenhuis? Berenice – Benni – waarom schepen ouders hun kinderen op met van die modieuze namen – heeft een tas voor hem ingepakt. Huilend nam ze beslissingen voor hem, dit wel mee, dat niet. Maar het was meer dan niet vergeten: haar vertrouwdheid met hem wist wat hij nodig had, wat hij zou missen. Hij zal ontdekken dat ze in een van de boeken stiekem een foto van haarzelf heeft gestopt die hij erg mooi vond en die hij had genomen voordat hun liefde uitliep op een huwelijk. Er is een babykiekje bij van de jongen.

Zijn moeder haalde hem op van het ziekenhuis. Hij deed een achterportier open om op de achterbank te gaan zitten – meteen al moet hij voor zichzelf een bepaalde gedragslijn gaan volgen, er voorlopig een gewoonte van maken – maar zijn moeder is net als hij (voor zover dat geen verkeerde volgorde van erfelijke eigenschappen is), ze heeft haar eigen gedragscode opgesteld als reactie op de bedreiging die hij vormt. Ze buigt zich opzij om het voorportier open te doen en klopt gebiedend op de passagiersplaats.

Hij heeft een vrouw en kind.

Wiens leven, wiens risico is minder waard dan die twee?

Ouders zijn verantwoordelijk voor het, opzettelijk of achteloos, op de wereld zetten van hun nakomelingen; zij hanteren de ongeschreven wet dat aan het leven van het kind, en dat van het kindskind, meer waarde gehecht moet worden dan aan dat van de oorspronkelijke verwekkers.

En zo is Paul – zo heet hij, hun zoon – thuisgekomen – o, op een andere manier, voorlopig, ja – naar zijn oude huis, dat van zijn ouders.

Lyndsay en Adrian zijn niet oud. De ladder van de ouderdom is sinds de medische wetenschap hoger geworden; door verstandig bewegen en gezond eten leven mensen langer en blijven ze jonger voor ze opklimmen en verdwijnen in het mysterie daarboven. ('Heengaan' luidt het eufemisme, maar waarheen?) Ondenkbaar dat de zoon hun voorgaat, daar naar boven. Zijn vader staat op het punt als energieke vijfenzestigjarige met pensioen te gaan als directeur van een fabriek van landbouwmachines en -werktuigen. Zijn moeder, negenenvijftig, maar ze lijkt negenenveertig, haar hele leven een natuurlijke schoonheid die geen zin heeft in facelifts, staat voor de beslissing of zij haar maatschap van een advocatenkantoor zal opgeven en haar andere maat in deze nieuwe levensfase zal vergezellen.

De hond springt op en steekt zijn poot naar hem uit, snuift de kille doordringende ziekenhuislucht op van zijn uitpuilende weekendtas en de koffer die zijn vrouw heeft afgeleverd met wat zij denkt dat hij daar nodig heeft, in deze fase van zijn bestaan. – Welke kamer? – Niet zijn oude kamer, maar die van zijn zuster, omgebouwd tot studeerkamer, waar zijn vader zich zal wijden aan de interesses die hij klaar moet hebben staan als zijn pensioen zich aandient. Dat zusje en die broer, slechts een jaar na elkaar geboren, te wijten aan onmatige jeugdige hartstocht of een misplaatst vertrouwen in borstvoeding als doeltreffend voorbehoedmiddel. Lyndsay kan nog steeds lachen om haar onwetendheid en het opportunisme van een snelle voortplanting! Er zijn nog twee zusjes, biologisch beter gespreid. Hij heeft geen broer.

Hij is uniek.

De pestlijder, de leproos. De moderne melaatse, ja, zo ziet hij zichzelf, met sardonisch genoegen. Hij zoekt zijn toevlucht waarschijnlijk in de snelle babbel van de reclamejongens en -meiden; die heeft hij zich eigen gemaakt door de omgang met Benni's collega's.

Paul Bannerman is milieudeskundige, afgestudeerd aan universiteiten en instituten in Amerika en Engeland, en door ervaring wijzer geworden in de wouden, woestijnen, savannen en pampa's van West-Afrika en Zuid-Amerika. Hij is werkzaam bij een stichting voor natuurbescherming en milieubeheer, in het Afrikaanse land waar hij werd geboren; een werknemer die nu om gezondheidsredenen met verlengd verlof is. Benni/Berenice is tekstschrijver, opgeklommen tot de directie van een van de internationale reclamebureaus die wereldwijd adverteren en waarvan de naam over de hele aardbol even bekend is als die van een popster, die geen vertaling nodig heeft om zijn vorm te behouden, die deel uitmaakt van het vocabulaire van alle talen. Ze verdient meer dan hij, dat spreekt vanzelf, maar daarmee is hun huwelijk niet uit balans, aangezien de rol van de man als kostwinner verouderd is, de prijs van feministische vrijheid. Waarschijnlijk zorgt de tegenstelling in de context en de praktijk van hun werk ervoor dat een onbekend element blijft voortbestaan, ook seksueel, dat anders na een paar jaar huwelijkse sleur meestal verloren gaat. Vertrouwdheid; ze kende hem goed genoeg om in te spelen op zijn basisbehoeften, die ze in vijf jaar van intimiteit had leren kennen, maar dat betekende niet dat zijn begrip van wat de wereld is en hoe die functioneert, zijn inzichten, niet verschilden van de hare. Altijd iets om over te praten, een tegenvaller, een succesje uit te wisselen, altijd het element van de vreemde, waarbij ieder, met een derde oog, iets waarneemt in het gebied van de ander.

Toen het vonnis van de oncoloog kwam bij monde van hun huisarts, die van hun leeftijd was en tot hun vriendenkring behoorde, was zij degene die het telefoontje in de vroege ochtend aannam. Elke dag stond hij als eerste op, gewend aan vroeg opstaan tijdens expedities. Toen hij uit de badkamer kwam, trof hij haar achterovergeleund in de kussens aan, terwijl de tranen over haar wangen lekten, alsof er plotseling iets binnen in haar was doorgebroken. Hij bleef in de deuropening staan. Voordat hij iets kon zeggen, vertelde ze het hem. Het heeft geen zin een geschikt moment af te wachten voor zulk… ja, wat? Nieuws, informatie.

'Je hebt kanker. Schildklier. Foute boel. Jonathan kon er niets beters van maken.' Het lekwater zakte naar haar lippen, trilde op haar kin.

Hij bleef staan. Zijn mond bewoog, alsof hij iets wilde zeggen. Stond daar, alleen. Zulk nieuws behoort slechts degene toe uit wiens lichaam de boodschap komt. Toen perste hij zijn lippen opeen tot een dunne streep, een verwrongen glimlach, in een zwakke poging haar niet te negeren.

'Ach. Of je komt onder een bus. Je moet toch een keer dood.'

Zijn pas geschoren gezicht glom, glad gebruind door een weekje in de wetlands aan de kust, waarvan hij een paar dagen geleden was teruggekomen, omdat hij niet wilde wachten op het oordeel van de artsen over de uitslag van hun onderzoek.

Maar op z'n vijfendertigste! Hoe kwam hij eraan? Geen kanker in zijn familie. Niets. Gezonde jeugd, geen ziektes – hoe dan? Waarom? Ze bleef maar beschuldigingen spuien.

Hij ging op bed zitten, naast de omtrek van haar benen onder de dekens. Schudde even met zijn hoofd, als ontkenning, niet uit wanhoop, stond toen resoluut op, zoals altijd, en

trok zijn broek aan over de piepkleine slip die zijn mannelijkheid – dat deel in elk geval nog onaangetast – omvatte. Terwijl
hij zich verder aankleedde en zij bleef liggen, stelde hij vragen.
'Dus wat moet er volgens Jonathan gebeuren?' Hij ging niet
verder, maar iedereen weet dat een arts, ook al is het je beste
vriend, nooit een duidelijk doodvonnis zal uitspreken.

'Ze gaan opereren. Meteen al, denk ik.'

Beiden werden geconfronteerd met het bewijs waardoor
deze verminking, hoe die ook zou uitvallen, aangevochten,
opgeschort moest worden: zie de man, de duidelijke architraaf
van een ribbenkast waarbinnen de levensadem op en neer gaat
onder de spierkussens van de borst, de gladde, harde contouren
van de biceps, de sterke, soepele onderarmen – het voltooide,
evolutionaire bouwwerk van de natuur, geschikt voor alle
functies. Er is daar een mooi, in onbruik geraakt woord voor:
welvaren.

Hij kon haar niet negeren terwijl hij zijn horloge omdeed en
zich verder aankleedde; ze bevestigde zijn aanwezigheid alsof
ze een standbeeld bekeek. Het slachtoffer wordt naar het
schavot geleid – bij afwezigheid van de cipiers doen artsen
het wel – zonder de persoon die van hem houdt. Die is buitengesloten. Hij moest iets voor haar doen. Hij liep naar het bed
terug, boog zich voorover en sloeg zijn armen om haar heen
terwijl de kussens zacht meegaven, en hij gaf een kus op haar
beide natte wangen. Maar ze rukte haar armen los, trok zijn
hoofd ruw naar zich toe en drukte haar mond hard op die van
hem, wrikte zijn lippen met harde tong open, en net op het
moment dat de kus in een hartstochtelijk voorspel zou veranderen, liet het kind zich dwingend horen uit de aangren-
zende kamer; het riep en het riep. Hij hees zich van haar
overeind, ze maakten zich onhandig los uit hun omstrengeling,
en ze rende op blote voeten weg om gehoor te geven aan de
dringende oproep van het leven dat zij op een nacht hadden
doorgegeven uit een omhelzing in dit bed.

Alles spitst zich toe op wat er daarna moet gebeuren. Er volgden meer bezoeken aan de specialist, meer laboratoriumonderzoek, en de wijze mannen in witte chirurgenjassen, zo niet tovenaars die sterren wichelen of *sangoma's*• die voorspellingen doen met botjes, namen besluiten. Jij hoefde alleen maar mee te werken, je lichaam aan te bieden. Het hoorde toe aan de mannen in witte jassen (eigenlijk is een van de specialisten een vrouw, dus het lichaam wordt door een vrouw in bezit genomen op een onbekende manier, aseksueel: een nieuwe ervaring voor een gezonde jongeman). Terwijl de voorbereidingen werden getroffen voor de operatie, bedreven hij en de echte vrouw, Benni, elke nacht de liefde. Alleen 's nachts, en alleen zó kon de angst zich verbergen. Kon het ongelooflijke één vlees worden.

Haar ouders waren gescheiden en later nog verder uit elkaar gedreven door de zeeën tussen het zuidelijk en noordelijk halfrond; ze wist niet of ze een van hen of hun beiden moest schrijven over wat haar had bevangen – angst, zekerheid – en schoof de poging om zo'n brief op te stellen voor zich uit. Haar moeder, die per vliegtuig naar het land van haar overleefde verleden terugkeert om haar dochter te steunen – ze gruwde bij het idee van het tafereel op het vliegveld, waar die samengestelde figuur van jeugd en afwezigheid zou verschijnen. En dan haar vader, die aan zijn derde vrouw de brief voorleest van deze dochter uit een mislukte periode in zijn leven, die – was dat zijn conclusie, zijn manier om het te verwerken? – een ongelukkig huwelijk was aangegaan met een vent van in de dertig, die ernstig ziek bleek te zijn.

Lyndsay en Adrian. Zijn ouders. De ideale ouders. Benni moest bekennen, ook aan de weinige goede vrienden aan wie ze wel wilde vertellen welk lot Paul had getroffen, als de

---

Zie voor de met • gemarkeerde woorden de verklarende woordenlijst op p. 187.

toorn van de Almachtige waar hij noch zij in geloofde: zijn ouders waren fantastisch. Hoewel Paul hun zoon was, had ze geen andere relatie met hen dan hij; hij ging niet vertrouwelijker of vaker met hen om dan zij dat samen deden, en dan voornamelijk op familiebijeenkomsten, verjaardagen, Kerstmis, een feestelijk etentje in een restaurant of om de eettafel, kinderen en hun aanhang, in het huis waar hij en zijn zusters waren opgegroeid, waar de volgende generatie, de kleinkinderen, aangemoedigd werd om samen te spelen, omdat ze neefjes en nichtjes waren, zoals dat heette. Geen intimiteit met zijn ouders, eigenlijk. Maar nu, alsof intimiteit de normale gang van zaken was, deden Lyndsay en Adrian het aanbod – en voerden dat ook meteen uit – voor een praktische regeling waar de zoon en zijn vrouw geen aandacht voor hadden. Lyndsay nam verlof van advocatenkantoor Dinges en Dinges & Partners, waar haar naam er een van was, en nam het kind onder haar hoede, haalde hem elke dag van het peuterklasje om voor hem te zorgen in het huis waarin zijn vader op dezelfde energieke leeftijd had rondgerend, terwijl Benni, die haar klanten, computers en tekstschrijvers aan anderen had overgedragen, met Paul meeging naar de wachtkamers van ziekenhuizen en pathologische labs, waar de preoperatieve testrituelen werden uitgevoerd.

Na zijn herstel van de operatie – 'thyreodectomie' in medisch jargon – mocht hij zijn normale leven weer oppakken: Benni, zijn zoontje, werk. Herstel: een tussentijd van vier weken, een verplichte periode vóór de radioactieve jodiumbehandeling die de artsen, na een scan, nodig achtten om – hoe zeggen ze dat – achtergebleven carcinomateus weefsel te vernietigen. Hij, Benni en zijn ouders, onder het onuitgesproken heilige gezag van degene wiens leven werd bedreigd, brachten die vier weken door alsof het dagelijkse leven gewoon doorging. Heel gewoon. Hij plande een veldexpeditie en kwam een dag vóór hij zich weer in het ziekenhuis meldde voor die vernietigingsbehandeling uit de wildernis terug.

Zijn vrouw en hij kregen in de meest tactische bewoordingen waarop zulke buitenaardse instructies kunnen worden overgebracht, te horen dat hij, als hij na een paar dagen van volledige isolatie uit het ziekenhuis werd ontslagen, nog steeds radioactief zou zijn en dus een gevaar voor zijn omgeving zou vormen. Zijn vrouw kwam met dit verhaal bij Adrian en Lyndsay, die samen waren in het ouderlijk huis, het oude huis. Ze hoefden geen moment na te denken. Lyndsay begon meteen te spreken namens hen beiden: dat dat zo was kon je zien aan Adrians strakgetrokken voorhoofd en zijn intense donkere blik. 'Hij komt bij ons. Tot het veilig is.'

Geen discussie.

Het zou op een bepaalde manier opdringerig zijn geweest hun op het gevaar te wijzen; immers, dat laatste aller dingen, de waarde van het leven en de dood, was onderling tot in de essentie besproken en tot een oplossing gebracht. Niet gaan snotteren van dankbaarheid. Welk ander besluit had ze dan verwacht van een vader en moeder? Hoe zagen hun zoon en zijn vrouw dan hun eigen ouderschap?

Pas toen ze met haar meeliepen naar haar auto, draaide ze zich om zonder te weten wat ze deed, alsof ze iets ging halen wat ze vergeten was, en sloeg haar armen om Adrian heen, haar hoofd kwam net tot aan zijn borst, een eerste omhelzing na vijf jaar van vluchtige kusjes op beide wangen met Kerstmis en op verjaardagen. Daarna naar Lyndsay; twee vrouwen die heel even tepel-aan-tepel stonden. Geen van drieën had iets gezegd toen ze van het huis naar de auto liepen. De laatste woorden waren gewisseld toen Adrian opzij stapte om de vrouwen bij de voordeur door te laten: hij vroeg wanneer Paul ontslagen werd, en zij antwoordde dat het misschien over twee dagen was.

Lyndsay hield haar gestrekte hand voor haar ogen tegen de zon. 'Nou, laat het meteen weten... dan haal ik hem van het ziekenhuis.' Vanzelfsprekend was ze al bezig zich voor te bereiden op hoe hij zou zijn.

Met langzame precisie hield Benni zich in bedwang, snoerde zichzelf in met de veiligheidsgordel, startte de motor, zette hem in z'n vooruit, deed de handrem naar beneden. Meer hoefde ze niet te doen. De auto was een automaat en reed meteen over het grind weg, met een geluid dat haar deed denken aan het knarsen van zand tussen dichtgeklemde kaken; de portieren schoten op slot. Buitengesloten van het proces dat bezit van hem nam, zijzelf gevangen in veiligheid. Ze kon zich niet voorstellen hoe dit soort isolatie zou zijn. Voor het eerst sinds ze het telefoontje aannam met zijn diagnose dacht ze niet aan hem, maar aan zichzelf, zichzelf. Als ze nu tijdens het rijden was gaan huilen, zou het verdriet om haar zijn geweest.

H et huis staat te luisteren. Af en toe wordt het daarbij gestoord door het gebrom van de koelkast, die zichzelf aanzet om in de warme keuken zijn skioordtemperatuur op peil te houden. Hij was van plan op te staan en samen met hen te ontbijten, maar de artsen hadden hem niet willen ontmoedigen door hem te vertellen hoe hondsmoe hij zich zou voelen, ook al verontschuldigde hij zich dat hij vroeg naar bed ging en sliep hij vervolgens acht uur. Zijn armen en benen, zijn biceps en onderarmen, dijen en kuiten wilden niet bewegen. Hij kon zelfs niet trillen van inspanning: hij had er geen zeggenschap over.

Rust jij maar lekker uit. Adrians gezicht om de deur, behoedzaam, sprak alleen als hij de ogen van zijn zoon zag opengaan. Lyndsay stond achter hem te dringen. Dit is de essentie van hoe je herstelt. De ouders hadden besloten dat hij in een staat van herstel verkeerde. Het was een betere instelling dan de vakkundige mening van de artsen dat onderzoeken zouden uitwijzen of door het weghalen van de klier en de verblindende gloed van het binnendringende radioactieve jodium het opportunisme van roofcellen om ergens anders een vernieuwde aanval in te zetten de kop ingedrukt zou worden; zichzelf prijzend omdat de stembanden niet te zwaar beschadigd waren. De patiënt praat met een normale stem, niet als een soort castraat, heeft zelfs zijn eigen timbre behouden. Als hij, liggend in bed, in dit duf-doezelende tijdloze halfbewust-zijn nadenkt over wat ze met hem gedaan moeten hebben terwijl hij totaal van de wereld was in een operatiekamer, ziet hij een paar dissidente cellen die dansend aan het mes ontsnappen, en later het stralende jodium ontvluchten om zich opnieuw te vestigen in wat hij als het woongebied van zijn lichaam ervaart. Het is zo'n film waarin auto's elkaar achtervolgen – die hij altijd wegzapt. De artsen hebben met genoegen geconstateerd dat het gevoel voor humor dat hij tentoonspreidt een positieve factor is, de juiste houding om te doorstaan wat hem volgens het orakel van de scan te wachten staat.

De ouders zijn weg, zij naar het kantoor van Dinges en Dinges & Partners met een stapel documenten over de zaak die ze nu behandelt, hij naar zijn directievergadering.

Lyndsay heeft de 'quarantaine' zo geregeld dat hij, Adrian en zijzelf er de minste hinder van ondervinden en er niet te veel van hoeven merken. Ze heeft een speciale mand, souvenir van een van haar reizen jaren geleden naar een juristencongres, uit een land waar je zulke huisvlijt op het vliegveld koopt zonder te weten waarvoor je het gaat gebruiken, maar waar nu zijn kleren en beddengoed in werden gestopt en weggezet om gescheiden gewassen te worden van de grote hoop die door Primrose werd gedaan. In een plastic bakje met vakjes van de supermarkt lag zijn bestek, dat samen met kopjes en glazen apart bewaard werd in een kast waar de kitscherige cadeaus uit waren gehaald, overblijfselen van logés, kennelijk zonde om weg te gooien, maar nooit gebruikt. Borden: het zou een onnodige verspilling (een onnodig offer) zijn geweest om na zijn herstel, als noodzakelijke voorzorgsmaatregel, servies met zulke mooie handgeschilderde decoraties uit Italië, dat ze een keer in een onverklaarbare aanval van verkwisting had besteld, weg te gooien. (Wie had toen, in dat paradijselijke oord, kunnen denken dat er zich op een zeker moment een ander soort hyperbool zou aandienen om uitgaven te beschrijven die ver uitstegen boven de normale ziektekostenverzekeringen?) Ze had een partij kartonnen barbecuebordjes ingeslagen die stevig genoeg waren voor warm eten. Adrian had via een bevriende industrieel die – ongetwijfeld – twijfelachtige connecties had in de media, meteen een telefoon en fax in de voor hem bestemde kamer laten aansluiten, in feite vlakbij, een uitgestrekte hand van hem vandaan, op een nachtkastje.

Hij kon Benni bellen. Op haar werk. Of op haar mobiel, als ze in de auto zit. Draagt ze het handsfree-model met de oortelefoontjes, dat hij met alle geweld voor haar wilde kopen toen ze bij blootstelling aan straling alleen nog dachten aan verhalen over de oude mobieltjes, die je dicht tegen je hoofd aan hield? Hij kan de hand niet optillen; geen enkel apparaat van de communicatiegoden van het millennium kon de oneindige kloof overbruggen tussen hoe hij daar ligt en de modulaire bureaus, nep-Corbusier stoelen, leren banken voor de klanten, professionele bloemstukken, opgeblazen foto's van prijswinnende reclamecampagnes, met daarop onwaarschijnlijk mooie of beroemde mensen en paradijselijke landschappen. Berenice' succes dwingt bewondering af. Een fax – maar aan wie? Zijn team, Thapelo en Derek, stokfiguurtjes op het terrein waar de bouw van de nieuwe *pebble-bed reactor** moet worden tegengehouden. Als hij in de wilde natuur was, bestond haar stadsplek niet voor hem, en evenmin bestond zijn wildernis voor haar als ze in die stadsruimte achter haar designbureau zat.

Nu bestaan ze geen van beide. Beide even onbereikbaar. Hij is op de achtergrond verdwenen. Hij. Ver weg.

Vliegtuigen kunnen landen op de automatische piloot. Hij is opgestaan en naar de voor hem vrijgehouden badkamer gelopen. Straling gaat mee met urine en ontlasting. Tijdens het plassen schiet het door hem heen: zal hij ooit nog wakker worden met een erectie?

Ze hebben hem niet aan zijn lot overgelaten. De meid, die nu huishoudster heet, is er. Op haar na is hij alleen, afgezonderd, van wie dan ook – van iedereen. Nog steeds dwalen zijn gedachten af naar lukrake, belachelijke dingen. Als een hond naar een ander land wordt meegenomen, moet hij maandenlang in quarantaine om te voorkomen dat hij rabiës uit Afrika overbrengt. Arm hondje. Voor hemzelf duurt het een dag of zestien, hadden de artsen gezegd, de eerste paar dagen op de isoleerkamer meegerekend. Genoeg. Daarna zou hij oké, schoon zijn.

Eerst hadden ze hem verzekerd dat alleen het weghalen van de klier voldoende was als behandeling, en dat hij daarna helemaal oké en schoon zou zijn.

Toen moesten ze bekennen dat er soms schildklierweefsel achterbleef na de operatie. Dat kon opzettelijk zijn – om nog iets van de normale functie van de schildklier te behouden – en soms onbedoeld. Hoe dat bij hem zat werd niet uit eigen beweging verteld, en wat had het trouwens voor zin om door te vragen.

Zijn vrouw noch zijn ouders was het bekend dat hij allang van de behandeling voor achtergebleven kwaadaardig weefsel af wist voordat de artsen hem en zijn vrouw inlichtten. Na de telefonische mededeling in de slaapkamer, vroeg in de ochtend, over wat hem bij de strot had gegrepen, was hij diezelfde dag naar de medische faculteit gegaan met de smoes dat hij research deed en daarom de bibliotheek moest raadplegen. Daar hield hij zijn eigen consult, verkreeg informatie over het papillair carcinoom, de ergste vorm van schildklierkanker. *Komt vaker voor bij vrouwen, en vaker bij jonge mensen, zowel mannen als vrouwen.* Dus, vijfendertig: kanshebber. Doorlezen. *Als er vermoedens bestaan dat er na een thyreodectomie nog weefsel is achtergebleven, moet er een behandeling volgen met radioactief jodium. Deze jodiumbehandeling is gevaarlijk voor anderen die in contact komen met degene die de behandeling ondergaat.*

Jodium, dat onschuldige goedje waarmee je de geschaafde knietjes van een kind dept.

Een paar weken in isolatie. Oké, schoon. Nu, de verzekering zeker, nogmaals, dit keer.

Híj moest dat weten, van binnenuit.

Primrose (het woord voor sleutelbloem: niet alleen blanken geven hun kroost pretentieuze, misplaatste namen, een koningin uit de oudheid, een bloem in de gefantaseerde tuinen waaruit de rijke veroveraars kwamen) heeft zijn ontbijt neergezet, klaargemaakt volgens nieuwe huisregels. Thee en geroosterd brood op een elektrisch warmhoudplaatje, fruit en yoghurt, honing, een soort vlokken waarvan hij niet wist dat ze nog bestonden, moet iets zijn geweest wat zijn moeder zich nog herinnerde van toen hij kind was. Een hap smaakt naar hooi.

Primrose, die hem natuurlijk kent van de keren dat hij gewoon bij zijn ouders op bezoek kwam, laat zich niet zien. Door de ramen, opengezet om de ochtendzon binnen te laten (hoe laat is het, weet een horloge dat eigenlijk) komt een zacht, druk gekwetter. Als kind had hij in dit huis parkietjes in een kooi, die net zo vertrouwelijk met elkaar praatten; Lyndsay, zijn moeder, die het niet kon aanzien dat dieren gekooid werden, wist hem te doordringen van het besef dat de vogeltjes gevangen zaten. Hij moet ze hebben weggegeven. Maar dit zachte ochtendgesprekje was niet van gekooide vogels, maar van Primrose en een paar vriendinnen, die hun tijd, op welk uur dan ook, verdreven. Hem was niets verteld over het probleem dat Primrose deel uitmaakte van de huishouding. Hij besefte het pas toen hij het eten opat dat zij had klaargemaakt en hij haar, ongezien, hoorde praten in de cadans van Afrikaanse stemmen in hun eigen taal.

Adrian en Lyndsay hadden de beslissing moeten nemen of deze vrouw, zich van geen gevaar bewust, zonder enige familieverantwoordelijkheid jegens de zoon, überhaupt aan hem blootgesteld mocht worden. Lyndsay werd 's nachts wakker na een lange discussie eerder op de avond, en begon hardop te praten, alsof ze de draad van het gesprek weer oppakte. Adrian bewoog even en zei precies het juiste, waar zij niet aan had gedacht, zoals hij zo vaak deed (zo goed werkten die advoca-

27

tenhersens van haar dus niet). Ze moesten met Primrose praten: het besluit om haar weg te sturen mocht niet worden opgevat als een verstoting uit haar plek in hun leven, maar moest tot stand komen met haar volledige begrip en aanvaarding, als hun plicht om haar veiligheid te waarborgen.

De lange, forse vrouw – eerder een rijpe kalebas gevuld met een zwaar leven dan een sierlijke gele bloem – die nooit eerder in de zitkamer was binnengeroepen om met haar werkgevers te praten, schonk hun niettemin de ongeremde aandacht die hun goede verstandhouding, haar mensvriendelijke werkomstandigheden en uitstekende betaling naar haar mening logischerwijs vereiste. Deze blanken probeerden niet, zoals zovelen wél deden, een sentimentele band op te bouwen met zwarten als ze iets van je wilden, de Mama kwam niet aanzetten met dat 'je bent zelf een moeder'-gedoe. En er was geen vader die de Papa ter verantwoording kon roepen als de vader die hij zelf was; de verwekker van Tembisa, de jongen wiens opleiding op een privé-school door de werkgevers werd betaald, was al lang geleden teruggegaan naar zijn vrouw in de Transkei. Adrian begon uitvoerig te vertellen over Pauls ziekte, behandeling en de vreemde nasleep, zo anders dan bij andere ziektes. Telkens wanneer ze iets niet begreep, kneep ze haar lippen samen, tilde haar wangen naar haar hoge jukbeenderen en vroeg: Wat – wat. Het was een vraag en ook ontsteld mededogen. Uiteraard had ze elke dag gevraagd hoe het met hem was toen hij in het ziekenhuis lag, en hoofdschuddend gezegd: God zal ervoor zorgen dat hij het haalt. Ze moesten haar uitleggen, zonder haar geloof te beledigen, dat hij het niet helemáál had gehaald, nog niet. Toen ze eenmaal de feiten kende, hoefde haar nauwelijks meer uitgelegd te worden waarom hij niet naar zijn jonge vrouw en kind kon terugkeren. Ze was hen een slag voor. 'Hij moet bij ons komen.' Ze wisten toch dat zij met plezier de zorg voor het jongetje had gedeeld toen Mama de leiding had, omdat de moeder met de artsen en haar echtgenoot bezig was?

Dit was het voorstel: ze zou teruggaan naar haar huis in de nieuwbouwwijk, in het district waar ze geboren was, een huis dat ze in feite met hun hulp voor haar moeder had kunnen bouwen omdat zij haar de aanbetaling hadden geschonken.

'Hoe lang?'

Dat wisten ze niet. Adrian stelde haar gerust: ze zou gewoon doorbetaald worden.

Ze dacht even na, een stilte die ze respecteerden zonder het aanbod om de dingen nog eens uit te leggen.

'Neem een tijdje vrij', probeerde Adrian weer.

Ze richtte zich tot Lyndsay; er zijn overwegingen die mannen voor wie overal, in haar moeders huis of hier, altijd alles gedaan wordt, niet begrijpen. 'Hoe gaat u dat redden?'

Lyndsay stootte een knorrend lachje uit. 'Geen idee. Maar het lukt heus wel.'

En nu tot Adrian, de man: 'Elke dag werken en papieren mee naar huis om 's avonds te lezen. Ik zie nog laat licht branden.'

'Hoe gaat u dat redden' betekende: ik ga niet weg. En zo ontspon zich een ernstige discussie tussen drie mensen, een soort complot. Hoe kon ze blijven? Was het mogelijk haar aanwezigheid te regelen, zoals ze de studeerkamer als quarantaineverblijf hadden geregeld; garanderen dat met haar taken het gevaar van aanraking, kleren en gebruiksvoorwerpen, wie weet zelfs de lucht die ze inademde, tot het minimum werd beperkt?

Maar alles werd aanvaard met een soort stilzwijgende afspraak dat zij – de Mama en haar man – haar toestonden om hetzelfde risico te lopen als zij, de enigen die daar reden toe hadden. Misschien had de vrouw zoveel in haar leven doorstaan dat ze niet echt geloofde in het gevaar dat volgens hen niet zomaar van een kuchje, van iemands poep, van pus of bloed kwam. Iets wat hij uitstraalde, een soort licht dat je niet kon zien.

Wat doe je als je geen doel hebt, geen ander doel mag hebben dan iets wat zijn moeder 'herstellen' noemt. Eigenlijk overal op van toepassing, dat eufemisme. Je kunt alles op internet vinden, dus hoe zat het hiermee? Hij kon niet echt geloven dat hij moest sterven; schurkencellen hielden nu huis in het territorium van zijn zelf. Sterven is iets wat ver van je af staat, dat onwerkelijk is als je in de dertig bent; je kunt alleen onder een bus komen. Doodgeschoten worden door een kaper. Hij is wetenschapper, hij werkt samen met de grootste wetenschapper van allemaal, de natuur, die de formule heeft voor alles, hetzij al ontdekt of nog steeds een mysterie dat onderzocht dient te worden door haar zogenaamd meest verheven schepping. In de universiteitsbibliotheek las hij natuurlijk alles over de schildklier, dat verborgen klompje in je hals dat hij met zijn hand zou kunnen voelen als het niet was weggehaald. Het is van levensbelang tijdens de groei, samen met de hypofyse, die achter je voorhoofd verstopt zit; onmisbaar voor het bereiken van de adolescentie, de lichamelijke en geestelijke volwassenheid. Die plekken zouden moeten worden aangegeven als de heilige tekenen die op het voorhoofd van Hindoes worden ingekleurd. De klier heeft dus duidelijk invloed op emoties, afgezien van zijn noodzakelijke fysieke verschijnselen als hij besluit in de fout te gaan, een op hol geslagen schildklier leidt tot tachycardia, een versnelde hartslag. Er wordt zelfs beweerd dat er een verband bestaat tussen een overmatige schildklierwerking en artisticiteit – de fantasie gaat ook sneller. Je gaat ervan uit dat jouw soort intelligentie bepaald wordt door de omvang en structuur van je hersenen – meer niet. Maar er zijn nog andere stofjes waarvan de samenstelling van invloed is op en zelfs direct ingrijpt in wie je bént. Veel andere cryptische details over de component die nu uit zijn hals is verdwenen, een litteken op de plek waar die ooit onzichtbaar zijn werk deed en waar kwaadaardige cellen als een waanzinnige begonnen te woekeren. Artsen hebben hem dus op hun eigen deskundige wetenschapsterrein niet veel meer te leren, maar wat hij steeds heeft willen weten sinds hem verteld werd dat de klier moest worden weggehaald is hoe zijn leven er dan zal uitzien. Maak je geen zorgen, werd hem gezegd, we gaan gewoon de kanker bestrijden. En dan ga je pillen slikken. Wat voor? O, Eltroxin, neemt de functie van de schildklier over, uitstekend spul.

Terug in de voor hem gereserveerde kamer hoort hij iemand bezig: de vrouw is ergens aan het stofzuigen nu hij weg is. Daar staat de geluidsinstallatie die zijn vader heeft neergezet en de cassettes die Benni niet heeft vergeten. Zoveel is zeker: alle zinledigheid verdwijnt als je luistert naar je lievelingsmuziek. Er is het olifantenverhaal en andere boeken waar je nooit genoeg tijd voor hebt. De laptop. Aktetas met documenten over de research van de wetlands van St. Lucia met Thapelo en Derek, die hij moet ordenen en uitwerken. En de telefoon. Wat valt er te zeggen tegen de persoon aan de andere kant?

Wat doe je als je geen verplichtingen, geen dagelijkse verwachtingen hebt van jezelf en van anderen?

Je ontvlucht de plek waar je bent. Laat de muren vol gapende leegte achter je. Zijn voeten volgden de route van zijn jeugd, door de lage ramen, naar de tuin. Een man was een bloembed om struiken heen aan het omsteken, de tanden van zijn zware vork beten bij elke haal in stevige grond; hij stopte halverwege een beweging en stak zijn hand op in het soort begroeting dat een zwarte werkman aan een blanke geacht wordt te geven, hij maakte het ritme van zijn halve beweging af, en de vork liet zijn inspanning en de weerbarstigheid van de aarde horen. Een man met een doel.

De forse vrouw kwam vanachter het huis aanlopen, de gebruikelijke wollen muts schuin op haar hoofd, als een vrijpostige knipoog naar haar nuffige naam, Primrose: sleutelbloem. 'Alles goed met u? Alles oké?'

Aan de andere kant van het brede gazon, omwille van haar

veiligheid, bedankte hij haar voor het ontbijt, liet horen dat hij een paar woordjes Zoeloe sprak, de enige Afrikaanse taal die hij had geleerd ten behoeve van zijn werk in boerengebieden, en die in de ogen van blanken een soort Afrikaanse lingua franca was. Zijn poging vormde bijna een schakel met zijn werkende, beroepsmatige leven. Ze lachte. 'Graag gedaan. Graag gedaan.' Net als 'Nog een fijne dag verder' een voorgekauwde formule, die je overal in gescheiden werelden aantreft om verzoeningspolitiek op een alledaags niveau van omgangsvormen te brengen. Zoals een ongelovige achteloos 'Bless you' zegt tegen iemand die niest. De nieuwe gemeenzaamheid heeft zelfs haar bereikt, een ouderwetse zwarte vrouw, zonder dreadlocks, zonder treinrails door het hoofdhaar geweven, zonder knot van geblondeerde valse krullen die hij ziet bij de mooie vrouwelijke managers van Berenice' reclamebureau, of de elegante secretaresses, met pronte borsten en neus in de lucht, op de ambtenarenkantoren waar hij via zijn werk komt. De telefoon rinkelt in de kamer die hij heeft verlaten, maar als hij binnenkomt om de hoorn op te pakken, heeft de beller al opgehangen.

Opnieuw een onmetelijke golf van vermoeidheid. Hij ligt weer op bed als de telefoon naast hem luid rinkelt. Het is Benni. 'Ik had al eerder gebeld.'

'Ik was in de tuin.'

'Ah, goed zo.'

Lyndsay en Adrian annuleerden hun cruise naar het Wonder van de Pool, *aurora borealis*, en gelukkig blijkt dat zowel Paul als Berenice vergeten was dat ze die gepland hadden, zodat ze zich niet in bochten hoefden te wringen om iemand ervan te overtuigen dat het niet belangrijk was. De reis was Adrians idee geweest, omdat hij voelde dat zijn Lyn twijfels had over wat die dreigende situatie, pensioen, zou gaan betekenen, gesteld dat ze daarin mee zou doen, en dat de keus om op dit moment ergens heen te gaan – een verre reis waar ze nooit over hadden gedacht – zou bewijzen dat gewaagde ondernemingen bij die nieuwe toestand konden horen. Deze reis, van het uiterste puntje van het zuidelijk halfrond naar het uiterste puntje van het noordelijk halfrond, zou dat duidelijk maken zonder dat er woorden aan verspild hoefden te worden. Zoals zij heus wel wist dat hij van haar hield, haar zelfs nog steeds aantrekkelijk vond, op dezelfde manier als toen ze pas samenwoonden.

De ouders probeerden 's avonds niet uit te gaan, zonder al te overdreven te laten merken dat ze voor hém thuisbleven. Als er een concert was waar muziek werd uitgevoerd die Adrian dolgraag wilde horen – zijn voorliefde voor Penderecki, Cage en Philip Glass kwam voort uit een eclectisch, diepgaand begrip waar zij jaloers op was omdat het haar boven de pet ging – ging hij erheen en bleef zij thuis bij Paul. In zekere zin was dat een welkom genoegen, want wanneer hadden moeder en zoon voor het laatst de kans gehad om samen een avond door te brengen? De kleine jongen, de puber die je niet te dicht op de huid moest zitten, die emoties moest verschuiven van die ene vrouw naar andere vrouwen, de jongeman met wie een volwassen vriendschap en wederzijds begrip was ontstaan – zij allen waren geworden tot de man met vrouw en kind. Nu ze alleen samen waren, spraken ze voornamelijk over zijn werk en hoe hij dat ervoer – privé, van wezenlijk belang voor zijn persoon – zoals hij dat waarschijnlijk alleen met zijn vrouw, zijn echtgenote deed, dacht ze. Zijn bijna boze toewijding – er werkten zoveel krachten, politiek en economisch, tegen – was op essentiële punten onlosmakelijk verbonden met haar juridische werk, iets waar ze eigenlijk nooit over gesproken hadden. De vraag welke rivieren en zeeën geëxploiteerd moeten worden, en op welke wijze, wordt uiteindelijk beslist door wetten die een regering afkondigt. Zo zouden Paul, Thapelo en Derek kunnen bewijzen dat de ene vorm van exploitatie in een bepaald milieu zo geregeld kan worden dat mensen, dieren, organismen en de atmosfeer er gedijen; maar dat de andere vorm in een ander milieu de bevolking ziek zal maken met rioolwater, diersoorten hun voedselhabitat zal ontnemen en meer uit de zee zal nemen dan zij kan vervangen. Maar de 'conclusies' uit ecologisch onderzoek verricht door van overheidswege goedgekeurde projectontwikkelaars, worden voorgesteld als een soort rechtvaardiging om hun projecten voort te zetten. Laat de onafhankelijke onderzoekers, mensen als Paul, Thapelo en Derek die het tegendeel bewijzen, maar praten; hun bevindingen krijgen symbolische aandacht, dat wel, de ontwikkelingsprojecten worden als concessie een beetje opgeleukt – en dan voltrekt zich de ramp. Dus moeten milieubeschermers zich laten adviseren door advocaten die weten welke mazen van de wet waar projectontwikkelaars doorheen glippen, moeten worden onderkend en aan de kaak gesteld terwijl het onafhankelijke onderzoek loopt.

Besprekingen als deze in quarantaine. Hij mag geen alcohol drinken, en als ze dat vergeet – het vermengen van hun stemmen weer vertrouwd geworden – en zegt: Zullen we een wijntje nemen, corrigeert ze dat snel: Nee, ik ga water opzetten, zin in kamillethee? Hij glimlacht en schudt zachtjes zijn hoofd, neem toch lekker een glaasje rood, en zij houdt haar hoofd schuin zodat ze zich aan zijn beweging aanpast, en zegt glimlachend nee.

Haar zoon is zo uitgeput door de intimiteit waarin zij zich beiden hebben begeven dat hij naar bed moet voor zijn vader terug is van het concert.

Er is nog een ander soort straling dan waar ze in een tête-à-tête aan was blootgesteld. Bij sommige mensen stroomt muziek, na het beluisteren ervan, nog door in hun lichaam en hersenen, als zuurstof in het bloed. Adrian kwam in deze serene, verheven gemoedstoestand terug. Die komt niet voort uit het soort muziek dat je kunt neuriën, dat ze kende voordat hij haar liet kennismaken met iets wat haar perceptie verruimde. Mensen geven elkaar cadeaus die je niet kunt inpakken. Maar die avond had ze niet samen met hem de muziek ervaren, niet eens op het niveau dat ze had kunnen verwachten bij Penderecki en Cage. Hij lag een tijdje naast haar te lezen, een van de autobiografieën waarin het politieke verleden wordt blootgelegd en die ze elkaar gaven om over te juichen of over te twisten.

Ze hadden alles al gezegd wat er over de avond thuis te zeggen viel. 'Hoe was het, ging het goed met hem?' 'Het ging goed, hij vergat geloof ik dat…' 'Praten is moeilijk, dat snap ik.' 'Nee, we hebben wel gepraat. Over zijn werk, alsof hij er nog middenin zit.'

Het was niet het juiste moment om een slapeloze nacht te riskeren door uit te spreken wat dit voor gedachten naar boven bracht, wat altijd in hun gedachten was: zal hij dat werk ooit nog kunnen doen.

Ze lag met haar ogen dicht, probeerde haar ademhaling gelijk te krijgen met die naast haar, zoals ze altijd tijdens het wandelen zijn grote passen probeerde bij te houden. Hij legde het boek weg, deed het licht uit. Ze hadden de oude gewoonte om de dag af te sluiten met elkaar in het donker een nachtzoen te geven. De zoen bezegelde de dag of leidde tot een vrijpartij. Hij had prostaatproblemen gehad, maar hoefde geen Viagra te gebruiken. De zoen van die avond was een bezegeling.

Terwijl hij in slaap viel, werd hij plotseling opgeschrikt door haar snikken. Eén moment van verwarring leek hij te denken dat ze werd aangerand; desperate indringers weten hoe ze het inbrekersalarm moeten uitschakelen. Zijn hand sloeg tegen de muur, vond het lichtknopje. Er was niemand. Haar gezicht, door haarzelf zo wreed verwrongen, kromp ineen in het felle licht. Hij deed het uit en samen met het donker nam hij haar in zijn armen. Haar lichaam lag warm, dik en vreemd tegen hem aan.

'Waarom moest dit eerst met hem gebeuren voordat we konden praten? Echt práten. Waarom niet eerder? Waar zijn we mee bezig geweest. Hierop zitten wachten. Wat is er met ons aan de hand. Wat is er mis met mij dat het niet gebeurde in al die jaren die zomaar voorbijgingen en ik zo tevreden was met iets wat voor liefde moest doorgaan.'

'Lyn, lieverd, je doet alles. Alles wat je kan. Goeie god, je komt thuis, maakt z'n bed op, maakt z'n kamer schoon, wast z'n kleren – je bent z'n verpleegster, z'n dienstmeid – je hebt meer risico genomen dan wie dan ook, dan ik – nou goed, ik heb hem in bad gedaan toen hij nog zo zwak was – maar hoeveel werkende vrouwen zouden die taak op zich hebben genomen?'

Stikkend en hoestend van het snikken begon ze over haar hele lichaam te trillen.

'Je zorgt voor de man net als toen hij nog een baby was. Wat wil een mens nog meer. Luister nou, luister…'

Hij streelde haar haar, haar schouder; ten slotte wreef ze haar gezicht af aan het laken, wat hij als een signaal opvatte om samen te komen, om elkaar te kussen. Terwijl ze bij elkaar binnendrongen via hun verstomde monden, begon hij haar borsten te betasten en te strelen, en een wanhopig verlangen welde in hen op. Ze gingen vrijen, zoals Paul en zijn vrouw hun angst hadden weggestopt toen het vonnis door de telefoon was uitgesproken; ze waren zich niet bewust van hun zoon, verstoken van deze troost, deze kortstondige vlucht uit de angstwekkende eenzaamheid. Een eindje verder in de gang, waar hij was thuisgekomen.

Het bleek werkelijk zo te zijn dat het ondenkbare alledaags kan worden. Althans, wat de regels voor contact betreft. Relaties. Hun nieuwe aard, frequentie en beperkingen. Dus als hij 's morgens niet aan het ontbijt verschijnt – soms een te vroege confrontatie met het feit dat als hij wel komt ontbijten zijn bord van papier is en het door hem gebruikte bestek apart moet worden opgeruimd door Lyndsay of Adrian, voordat ze naar hun werk gaan – maken ze er een gewoonte van om hun hoofd bij hem om de deur te steken en hem liefdevol gedag te zeggen, waarvan hij weet dat ze dat eigenlijk doen om heimelijk te kijken in wat voor staat hij wakker is geworden. Hij neemt aan dat hij zo veel mogelijk bij de keuken uit de buurt moet blijven, hoewel hij op die momenten van de dag dat Primrose er niet is, water of wat eten uit de koelkast moet halen. Terwijl hij ontbijt of luncht, houdt hij soms een gesprekje met Primrose, die aan de andere kant van de deur is, en vraagt wat ze aan het koken is dat zo lekker ruikt, en dan door het vrolijke gekwebbel en bonkende popmuziek heen van een van de Afrikaanse stations die ze tijdens het werk aan heeft staan, haar dramatische verslag hoort van de laatste roofoverval, waarover ze net op het nieuws heeft gehoord. 'Die smeerlappen! Wie waren hun moeders? God zal hen straffen.' En dan moeiteloos overgaand op het nieuws dat Tembisa zo goed in sport is op school – ze wil het over dingen hebben die een jongeman interesseren. Daarna is ze verdwenen, samen met de radio.

Berenice belt elke morgen zodra ze op kantoor is. Of op haar mobiel als ze onderweg is naar een werkontbijt, waar ze aan een belangrijke klant een campagneplan moet voorleggen. *Berenice.* Hij roept haar beeld op met die naam, zoals ze bij hun eerste ontmoeting aan hem werd voorgesteld en ze, zoals de meeste mensen die zich aarzelend tot elkaar aangetrokken voelen, tussen ontmoetingen door de aantrekkingskracht probeerde warm te houden door hem geregeld te bellen.

Dit telefoontje zou de vanzelfsprekende uitwisseling van dagelijkse bezigheden en gebeurtenissen die ze sinds hun samenzijn hebben, moeten vervangen; daar moeten ze allebei van blijven uitgaan. Zij moet de stiltes opvullen door geestig en uitvoerig te vertellen wat er op haar werk gebeurt, alsof ze verslag uitbrengt aan een betrokken partij – een ander, een klant die ze goed kent; hij heeft bijna niets te melden.

Gisteren heb ik naar de hele *Fidelio* geluisterd.

En vanochtend?

De tuin misschien.

Nou, goeie plek om te lezen, het belooft een mooie zonnige dag te worden. Geniet ervan!

Op sommige ochtenden heeft ze als afsluitzin, onbeholpen, onbelangrijk: ik hou van je.

Benni, daarentegen, komt vaak en geregeld langs in de middag. Dit is Benni ten voeten uit. In haar onconventionele, zigeunerachtige kantoorkleding en sjaals die haar zo goed staan en die hij haar als een soort wapenrusting zo graag ziet aan- en omdoen wanneer ze uit hun bed stapt aan het begin van een nieuwe dag. Hij kijkt nu naar haar, terwijl ze in dat niemandsland staan, de veilige tuin, en terwijl er ongevraagd, ongepast, zenuwen uit een verdoving tot leven komen, wordt hij overspoeld door het verlangen haar aan te raken. De paar meters tussen hen over te steken naar waar ze staan of waar ze zitten op de stoelen van het terras die hij naar buiten heeft gebracht, los van elkaar, tegenover elkaar; om haar onder zijn hand te voelen. Ze heeft aangebeld bij de intercom bij het hek, hij heeft op de afstandsbediening gedrukt, ze is over de oprit gereden en hij staat er, niet veraf, niet dichtbij, als ze de auto uit stapt, en ze blijven staan – allebei tegengehouden. Een begroeting over de leegte heen, lachend; waren ze vergeten hoe fijn het was om elkaar te zien? Maar dat wordt niet op natuurlijke wijze bevestigd met een aanraking. De kloof wordt haastig door haar gedicht met de dingen die ze heeft meegebracht: meer boeken, kleren, brieven – één keer bloemen, maar dat was een vergissing, vonden ze allebei, alsof hij een zieke vriend was die in het ziekenhuis lag. Wie weet in welke bestaanscategorie hij eigenlijk thuishoort?

Zijn moeder brengt hem naar het ziekenhuis voor controle in de polikliniek. Zijn vader vervangt haar als de afspraak samenvalt met een rechtszaak waar ze een cliënt moet verdedigen, maar hij kent de medische procedures niet zo goed als zij, en dat maakt haar onrustig – je weet niet wat onbekendheid voor band smeedt, wanneer de vader en zoon, als twee mannen, de isolatie van de een binnengaan, zoals mannen verbroederen in een oorlogssituatie, traditioneel een zaak van mannen. Of, als een ander soort identificatieproces, toen de tienjarige jongen en de vader (weer sterk aanwezig in de wachtkamer van het ziekenhuis) op dezelfde manier zij aan zij bij een rugbywedstrijd zaten als eerbetoon aan de fysieke kracht van mannen. Zijn vader is Adrian, een man; dit besef is naar de achtergrond gedrongen omdat de vader-zoonrelatie op de tweede plaats komt na vrouw en kind. Terwijl hij naast hem zit in het niemandsland van wachtkamers, begrijpt de man dat kijken naar je vrouw van een afstand en weerhouden worden om naar haar toe te gaan en haar aan te raken, haar in te ademen, een ontmannende, frustrerende toestand is.

In het eerste weekend nam ze het kind mee, maar latere bezoeken van het driejarige jongetje moesten beperkt worden tot het zien van zijn vader aan de andere kant van het ijzeren traliehek – hij kon niet worden tegengehouden als hij naar zijn vader toe wilde rennen om zijn armpjes om zijn benen te slaan, hem onbelemmerd te ontmoeten. Maar toen kwam het moment dat hij in een driftige huilbui ontstak en 'papa, papa, Paul, papa, Paul' jammerde terwijl hij de tralies omklemd hield. De aangeroepene moest het huis in vluchten zodat het kind overreed kon worden, in wanhoop, om de isolatie-tralies los te laten. Geen van de volwassenen die hem daar hadden gebracht om zijn vader te bezoeken kon diep in zijn hart kijken, dat misschien wel zeker wist dat hij zijn vader nooit meer zou zien.

Men besloot het jongetje niet te traumatiseren door het af te schermen van gevaar dat het niet geacht werd te begrijpen. In plaats daarvan verving zijn moeder het zien van het kind door veel over hem te praten, door de telefoon of tijdens bezoek op afstand. Dat hun baby (want dat was hij nog steeds) zijn eerste zwemles had gehad (er liggen veel gevaren op de loer), hoe boos hij was geworden toen een vriendje van de peuterklas bij hem logeerde en in het bed plaste, dat hij helemaal gek was van avocado's en een hele opat als een appel. Een keer nam ze een tekening mee – die was voor jou, zei hij. Er was het huis dat ieder kind tekent, hoge muren, twee ramen, deur, steil dak. Vogels als een paar veegjes in de lucht. Een vrij rondzwevende bloem met stengels als een slierende vliegerstaart. Zijn vader had een keer een Chinese papieren draak gekocht en was op een zaterdagmiddag met hem naar buiten gegaan om te vliegeren, maar hij was te jong om te begrijpen hoe je hem in bedwang moest houden. Links op de voorgrond, hoger getekend dan het huis, een man met stokjes van armen, maar met precies getekende broek, uit elkaar staande Chaplin-voeten, met een groot hoofd en een enorme grijns. Zwaait hij? Of is hij kwaad.

Primrose riep tijdens zijn ontbijt: 'Waarom komt Nickie niet meer bij z'n papa op bezoek?' En dan jammerend: 'Och, wat erg. Maar u moet zeggen dat u gauw weer terugkomt, kinderen ervaren tijd anders dan wij.'

In een opwelling haalde hij de tekening die bij zijn bed lag; sinds hij hem daar ergens had neergelegd, had hij er niet meer naar willen kijken. Maar hij hield hem voor haar omhoog zodat ze hem door de keukendeur kon zien.

Adrian en Lyndsay regelen de weekends goed. Het behoefde geen discussie, het spreekt vanzelf dat ze weigeren afstand van hem te houden; voor zover dat ook mogelijk is, nu ze samenleven in het huis dat weer familiehuis is geworden. De enige uitzondering is dat Lyndsay, die zich ontfermt over wat hem van dichtbij aanraakt, kleren en beddengoed, de impuls weerstaat om achter hem aan naar zijn kamer te lopen en hem de nachtzoen te geven waar een moeder recht op heeft, vanaf zijn kindertijd en zeker zijn hele leven lang – de twee mannen waren zich vast niet bewust van dit verlangen. Zelf weet ze niet of ze het uit angst nalaat. Kun je je geest tijdelijk uitschakelen: hoe kun je bang zijn voor je eigen kind?

Lyndsay noch Adrian is lid van een sportvereniging – Adrian mag graag quasi-zielig opmerken: Hoe kan ik met pensioen als ik geen golf speel? Een beeld van de eeuwigheid als een eindeloze reeks greens, tees, zandkuilen, vlaggetjes. Wel is hij altijd een fervent rugbykijker geweest, sinds hij in zijn studententijd scrumhalf speelde. De zaterdagmiddag houdt hij vrij voor zijn zoon, en hij zet de tv aan terwijl hij hem een vluchtige vragende blik toewerpt als uitnodiging om samen met hem in de woonkamer te gaan zitten.

De lichaamsbeweging van Adrian en Lyndsay bestaat uit lange wandelingen; gewoonlijk gingen ze minstens één keer in de maand de stad uit en brachten een weekend door in een dorpje van waaruit ze paden bewandelden met de uitbundige hond, wiens gevoel van vrijheid overeenstemde met dat van hen. Paul weet dat ze de komende zaterdag en zondag zouden doen wat voor hen de beste ontspanning is en bovendien essentieel voor gezonde, ouder wordende mensen. Nu hij zelf een klein kind heeft dat twee generaties jonger is, is hij hen als oud gaan beschouwen, maar in deze dagen van huiselijke intimiteit zijn ze door hun manier van bewegen, zoals ze op elkaar reageerden, een gebaar maakten of een uitdrukking bezigden, teruggekeerd van individuen tot wat ze hiervoor waren. Ouders. Hij kan hun niet zeggen – hoe graag hij dat ook zou willen – dat ze best weg konden gaan, lekker wandelen in de natuur. Sinds hij samenwoont met Benni weet hij dat het, afgezien van de lichaamsbeweging, belangrijk is om dingen samen te doen, zelfs als je al zo lang getrouwd bent als zij – hoe lang al? Weet hij niet meer. Hij redt het wel. Hij leert alleen te zijn in zijn nieuwe leven, net als zijn zusjes en hij dat in hun vroegere leven leerden als zijn ouders niet thuis waren. Maar hij kan er niet over beginnen, omdat dit soort logica hen confronteert met het onvoorstelbare: waarom hij in de eerste plaats hier bij hen is. Adrian en Lyndsay, ouders die nu de moderne vrome missionarissen zijn geworden, die niet aan zichzelf toekomen in deze afgezonderde wijkplaats, maar zorgen voor de uitgelichte leproos.

Meestal luisteren ze 's avonds met zijn drieën naar muziek. Adrian bezit een bijzondere verzameling, niet alleen cd's, maar ook zeldzame lp's, zelfs 78-toerenplaten, en het hele gamma van apparatuur, antiek en het allernieuwste, om ze af te spelen. Adrian moet het hele huis door om de specifieke opnamen te zoeken die hij aan Paul en Lyndsay wil laten horen – een vroege Klemperer, een moderne Barenboim – aangezien de rekken waar zijn collectie in bewaard wordt her en der staan opgesteld, zelfs in de gang. Spullen om hem tijdens zijn pensioen bezig te houden (hij heeft zichzelf al jaren beloofd tijd vrij te maken om zijn schatten naar behoren te catalogiseren), die ze hadden moeten weghalen uit wat als zijn werkkamer bestemd was, maar nu de veilige haven van zijn zoon is geworden. Natuurlijk weet Paul dat hij de luisterende stilte mag verjagen tijdens de doordeweekse desertie van de ouders (want zo beschouwen Adrian en Lyndsay hun afwezigheid, als ze op hun werk zijn). Soms probeert hij het, de complete *Fidelio* als experiment, maar klinkt binnen zijn vier muren de opname van een enkele menselijke stem, die van Callas, gevormd door de systole en diastole van haar ademhaling, dan vormt die de helft van een dialoog met wat er in zijn huidige bestaan ontbreekt. Volle orkestrale muziek die, zo hoopt Adrian, voor zijn zoon een krachtige bevestiging van het leven zal zijn, is een onwelkome menigte die de stilte ongevraagd binnen valt. Liever luistert hij, met een half oor, of hij misschien de zachte huiselijke geluiden kan opvangen van Primrose, die bezig is in de keuken.

Zijn zuster Jacqueline woont met haar man, een accountant, in een andere buitenwijk. Ze was montessorikleuterjuf en zette haar eigen twee kinderen in de plaats van het algemene kroost dat zich vroeger koesterde in haar moederlijke zorgen. Ze stuurt haar broer zelfgemaakte baksels waarvan ze nog weet of denkt dat hij die lekker vindt. Worstenbroodjes. Een keer een bananenpudding, verbeterd recept, met een briefje erbij: 'het toetje waar we vroeger zo dol op waren, met een flinke scheut cognac'. Zij brengt de offerandes naar het hek, en Primrose neemt ze aan. Bij de eerste gelegenheid was hij zijn zuster bij de tralies gaan begroeten, maar ze begon te huilen zodra ze hem zag; daarna heeft hij zich niet meer laten zien. Maar die keer was hij als een vreemde langzaam terug naar het huis gelopen, naar de badkamer, om in de spiegel te zien wat zij zag. Hij was magerder geworden; maar het scheen hem toe dat hij er alleen bedrieglijk onschuldig, gemaakt jonger uitzag dan hij zich zijn gezicht herinnerde toen hij zich schoor – voorheen.

Zijn zuster Susan, getrouwd met een struisvogelboer die onverwacht rijk was geworden vanwege de wereldwijde vraag naar biefstuk met een laag cholesterolgehalte, weet niet wat ze tegen hem moet zeggen en belt hun moeder om te horen hoe het met hem gaat. Ze heeft de kunstacademie afgemaakt, maar met de geërfde torenhoge eisen van haar ambitieuze moeder, verplaatst van een professionele carrière naar een artistieke, besefte ze dat ze niet het talent had om een originele abstracte schilder te worden, of een postmodernist, een conceptueel kunstenaar, dus ging ze, met de flexibiliteit van haar vader, werken als restaurateur van museumstukken, voordat ze zich aan haar boer en zijn surrealistische vogels wijdde. Emma, de zuster die als een speling van de natuur zo snel na haar broer werd geboren, woont in Zuid-Amerika, waar ze buitenlands correspondent is voor een Engelse krant. Deze emigratie kwam voort, zoals bij zoveel vrouwen, uit haar huwelijk met een buitenlander, een Braziliaanse advocaat, die ze ontmoette toen haar moeder hem voor het eten uitnodigde tijdens een congres over staatsrecht, dat hij in Zuid-Afrika bijwoonde. Deze dochter was een vroegrijpe gescheiden vrouw, die in die tijd rechten studeerde, de enige van de kinderen die in de voetsporen van de ouders trad. Emma's e-mails heffen aan met: 'mijn bijna-tweelingbroertje' (ze schelen maar een jaar) 'nog maar nauwelijks eruit geschoten toen papa mij erin schoot'. De mails kwamen om de paar dagen in die voor hem bestemde kamer binnen, het piepje van de computer als een soort levendige grimas van haar om wat hem – hoe zei je dat – 'was overkomen'. Ze had geen gêne, geen eerbiedig ontzag, geen verborgen afkeer van hoe het in zijn toestand, waar je jezelf nooit in zou kunnen voorstellen, moest zijn: *echt gruwelijk, ik probeer me voor te stellen hoe je ermee omgaat, het moet zo onwezenlijk zijn, het is maar goed, denk ik, dat ik zo ver weg ben, want ik zou het niet geloven, zo'n sciencefictionachtig ding dat in je zit, mijn boetie*, ik zou je gewoon knuffelen. Kan er niet bij dat je uit de monsterlijke ruimte bent afgedaald en straling uitzendt. Kleinste gemene deler in onderbroekenlol. Getver. We zouden er samen hard om lachen, zoals we al deden als brabbelende baby'tjes. Het*

volkomen absurde van deze toestand, in je leven. Krankzinnig.
Dus je kan niet eens neuken? Ze kan alles zeggen op die afstand
– ze houdt die afstand door niet te bellen, en dat begrijpt hij. Ze
weet ergens dat hij niets te melden heeft. Soms stuurt hij een
kort mailtje terug; ze beseft dat hij niet meer kan 'opbrengen'
dan deze clichés: *leuk van je te horen, heb je knuffel gekregen,*
liefs. Als ze de pleisters van conventie van zijn toestand lostrekt,
geeft dat een uitbundig, bevrijdend gevoel; de momenten
waarop hij ze leest en voor de verleiding zwicht om ze te
herlezen, hoort hij zichzelf schateren. Maar het heeft geen
zin om jezelf zo kwetsbaar te maken; beheersing bestaat alleen
uit normaalheid, opgelegd, toegepast en gehandhaafd zolang –
zolang hij leeft. Een door onderzoek beslist einde. Of door
onderzoek beslist overleven. Geen straling meer, geen licht.

Hij zwerft door de kamers van het huis alsof hij lukraak een
rangschikking maakt van bekende voorwerpen en aangeschaf-
te, toegevoegde dingen die niet in zijn herinnering zijn inge-
bed, een afspiegeling van perioden en verlangens van twee
mensen, van na de tijd dat hij het huis verliet waarin hij nu
als straling is teruggekeerd. Levenloze dingen kennen geen
ectoplasma, alleen levende wezens zijn zich van zo'n aanwezigheid bewust. De labrador, die stiekem een middagslaapje doet
op een bank, tilt haar kop op omdat er iemand in de kamer is.
    Door de lage ramen van de woonkamer stapt hij over de
vensterbank de tuin in.
    Waarschijnlijk alleen op vaste dagen is de man met de grote
vork of schop of schaar er: zijn begroeting. Die bestaat nu uit
zwaaien met een stuk gereedschap in de lucht. Hij heeft ge-
probeerd iets terug te roepen als uitnodiging tot een gesprek,
maar op de weinige woorden in Zoeloe wordt slechts gereageerd met een grijns, al dan niet als teken van onbegrip;
misschien is de grammaticale constructie lachwekkend of
spreekt de man een andere taal. Zijn eigen stem wordt wel

beantwoord door de schorre roep van een vogel. De *hadeda's*˙
vliegen van het dak en steken hun telescoopsnavels peilend in
het gras, op zoek naar wormen, alsof hij er niet was. Jongetje
van zeven, acht jaar (was het echt zo jong) richt zijn katapult
gemaakt van een jacarandatak en een paar reepjes rubber (oude
fietsband) op de duiven, die nog steeds hun treurend recitatief
in de dakgoten uitvoeren. Het spel is verboden en die ene keer
dat een vogel geraakt wordt en slap, maar nog met een sprankje
leven in zijn ogen naar beneden valt, begrijpt hij waarom: de
dood is verboden. Wat is er met de vogel gebeurd? Weggestopt
in een vuilnisbak. Nee, geheimen hebben een grotere verbeelding dan dat, groter dan de wetgevers eraan zouden kunnen
toeschrijven. De vogel werd begraven, er werd een vriendje bij
gehaald voor de plechtigheid, daar achter de oude compost-
hoop, met de stelen van een paar margrieten rechtop in de
aarde gestoken.

   Het komt niet vaak voor dat een volwassen man op zijn rug
in het gras ligt; je hebt plastic ligbedden die in de zon of in de
schaduw van de jacaranda worden uitgevouwen. Voor een
onbedekt, omhooggeheven gezicht, geen lucht; ruimte. Geen
wolk om de juiste verhouding te zien in het bleekwitte felle
licht, geen blauw om diepte te peilen. Gras beweegt onder hem
met minuscule krabbende klauwen. Misschien zijn er kevers,
mieren, even onzichtbaar als de roofcellen in hun territorium,
alle leven is één, zegt men. Op dit gekriool valt een gewicht met
een bons neer: het vriendje. Er volgt een giechelend, hijgend
gevecht; als het vriendje op zijn beurt wordt neergelegd op het
irriterende gras, eindigt het in tranen. Daar komt de smeekbede van de leugenaar om genade. 'Ik word gestoken door een
gogga˙!' Dus het gras beslecht de wilde kleinejongensgevech-
ten, die ook verboden zijn. *Zo ga je toch niet met vrienden om?*
Het is geen spelletje. Jullie doen elkaar pijn.

   Maar dat is juist de bedoeling. Om te zorgen dat de huile-
balk zijn heil zoekt bij de natuur als bemiddelaar om hem van

46

de ondergang te redden, terwijl de overwinnaar nooit om hulp vraagt als híj op het gras onder hem wordt neergedrukt. Volwassenen maken een eind aan de gevechten; of was het atavisme voorbij, had het zijn tijd gehad, net als duimzuigen, en is alleen het teken van overgave – ik word gestoken door een gogga – deel geworden van het familievocabulaire om in nood een beroep te doen op de genade van de lach?

De grassprietjes afkloppen. Overeind komen veroorzaakt nog steeds duizelingen, het neemt af hier in de tuin, waar je gewoonlijk langzaam doorheen slentert, tenzij je een jongen bent die achter een bal aan rent. Een roos reageert op nabijheid met een vage geur. Lelies: naaktslakken, huisjesslakken zuigen de dikke, gebeeldhouwde stelen leeg, enkele jaren in de cyclus van ongedierte. Als een gebaar van verzoening – wie weet – met het vriendje wordt het aanbod van een volwassene aangenomen van een cent voor elke geraapte slak. Ze plattrappen gaf zo'n smeerboel, dus werden ze in een emmer water gegooid om te sterven. Heet? Een slak is geen vogel. Er is een bovengrens waarop compassie begint; lagere wezens zitten eronder. Dat is de onschuld die in een tuin onveranderlijk blijft.

Het gerinkel vanuit het huis is Benni's tweede telefoontje van die dag. Opwinding in haar stem, drukt zich uit in het jargon dat bij haar werk hoort: ze heeft zojuist een grote slag geslagen, een grote buit binnengehaald, een contract dat alle televisie-, radio- en internetrechten omvat, plus de kranten, met klanten die hun account bij een superprestigieuze concurrent hebben opgezegd en in haar stal zijn gekomen. Hij beseft dat haar opwinding ook opluchting is, omdat haar commissie bij zo'n contract genoeg zal opleveren om laboratoriumonderzoeken en artsen te betalen.

'En jij?' Een andere stem, de cadans van het onuitgesprokene tussen hen. Hij kan haar vertellen dat hij een mailtje van Emma heeft gekregen.

'O, Emma is geweldig! Lees je het voor? Nee, als ik vanmiddag kom.'

Op de voor de lunch toegewezen tijd heeft Primrose een salade en vers brood neergezet, koffie op het elektrische plaatje; zijn moeder belt, maar in haar stem klinkt een andere gemoedstoestand door. Ze heeft een zaak verloren, haar cliënt is veroordeeld. Ze zal hem verder niet met details vermoeien. Dan zou hij maar denken dat hij medeleven moest tonen. Waarom zou hij. Zijn eigen vonnis, van God mag weten wie, of waar, is zonder verhaal; er zal beroep aangetekend worden namens cliënt.

Het is de stijl van het reclamebureau dat klanten al vanaf het begin iedereen, tot en met de top, tutoyeren. De onuitgesproken premisse is dat de klant en de professional die de promotie van wat de klant wil verkopen bedenkt, eerder partners zijn dan de geldelijke relatie hebben van opdracht en kostenplaatje. Berenice: het is haar aanpak om de klant als gelijke te behandelen tijdens het bepalen van de toon, de vormgeving van de campagne, hoe duidelijk het ook is dat de klant zelf zulke capaciteiten niet heeft. Deze 'Berenice' stelt de klant op een bepaalde manier gerust dat de campagne een interne zaak is; zij is deel van het bedrijf van de klant, en dat promoot zichzelf. Haar intelligente opmerkingen over de smaak van het grote publiek en de sympathieke, snelle gebaartjes waarmee ze haar eigen smaak wegwuift, haar korte pauzes, de notatie in reclamejingletaal van de dialoog tussen reclamebureau en klant, het tonen van medeleven en begrip wanneer de klant zijn twijfel uitspreekt... Al die dingen, die haar waren komen aanwaaien, leken nu een professionele techniek. Ze kon die tevoorschijn halen terwijl degene aan wie ze haar echt gemeende reacties zou moeten richten veilig opgesloten was, niet alleen in letterlijke zin, afgesloten van het hele dagelijkse, nachtelijke bestaan van haarzelf en het kind. Het kind: alsof het kind en het leven dat het vertegenwoordigde het enige belangrijke was geweest in het complexe leven van een man en een vrouw. Reacties waren afgesneden en bleven in het niets hangen. Hoe kreeg een ziekte dat voor elkaar? Gewoon een ziekte, meer niet. Als hij in de wildernis zat waar hij zo in zijn element was, had ze nooit de behoefte gevoeld aan hem te denken terwijl ze met klanten grappen maakte of deskundig commentaar gaf op serieuze zaken die een beroep deden op hun slimheid. Op de een of andere manier kon ze het, nu ze wel die behoefte had, niet opbrengen om aan hem te denken zoals hij daar zat in die kamer, tot gevangenis gemaakt in het huis waar zo nu en dan familiebijeenkomsten plaatsvonden. Zelfs zijn stem door de telefoon, wat zei die over waar hij was, wat hij was? Zelfs de middagbezoeken in die andere wildernis, de tuin van zijn jeugd, waar de spanning in hem over het verdriet dat zij er was, maar niet voor hém, haar het gevoel gaf dat ze heerste over andermans gedachten, niet die van haar, in een andere tijd.

Ze hoort zichzelf weifelende klanten overtuigen met enthousiaste stem, uitwaaierende handen met lokkende karmozijnrode nagels, armbanden die over niet onaantrekkelijke onderarmen omlaag schuiven, hoe intelligent haar plan de campagne wel niet is. Van de grootste stijfkoppen onder hen dwong ze bewondering af, die zich uitte in het ontspannen van de gezichtsspieren, hoewel ze hun assistenten nog steeds de vragen lieten stellen. Intern, tussen besprekingen met klanten door, werden er gewoonlijk spottende opmerkingen gemaakt en persoonlijke meningen uitgewisseld over hun eigenaardigheden – kantoorroddels met collega's, onder wie nu een paar zwarten waren, volgens het beleid (waar het bureau zelf belang bij had) om te laten zien dat het positieve discriminatie in praktijk bracht (sommige klanten waren nieuwe bedrijven met zwarte eigenaren), jonge vrouwen die niet van elkaar te onderscheiden waren qua kleding en jargon, afgezien van hun huidskleur en ingewikkelde haarstijl. Slechts een select groepje collega's kende de details van wat er aan de hand was met haar man, dat lekkere ding, die altijd in de bush de planeet aan het redden was. Rampspoed is van nature privé, net als de liefde. De omgeving is wellustig nieuwsgierig (liefdeszaken) of bagatelliseert de boel met mierzoet medeleven (rampen).

Haar professionele personage ging verder met haar leven. Dat kon niet anders. Ze dronk champagne die iemand had binnengebracht om het spetterende contract te vieren, dolde en lachte met gedeelde trots. Vaak ging ze uit eten met speciale collega's met wie ze bevriend was, doorgaans blanken, zoals het altijd was geweest voordat de zwarte nieuwkomers kwamen – die leken hun vrije tijd beter te kunnen besteden. Aan tafel praatte iedereen zoals altijd 'over het werk', dus het was heel normaal dat je kwam zonder je vriend of echtgenoot, die andere bezigheden had. Ze raakte geneigd om wederzijdse vrienden van Paul en haar te mijden – moeilijk aan hen uit te leggen, niet beledigend bedoeld. Ze wilden over hem praten, stelden er belang in te weten hoe ze zich nu werkelijk voelde, wilden graag dat ze hun steun accepteerde voor iets wat niet duidelijk was – omdat haar man, hun dierbare vriend, waarschijnlijk ten dode was opgeschreven, of omdat zij in de ondenkbare situatie verkeerde dat ze van hem was afgesneden, een afscheid terwijl hij nog leefde, ergens? Zouden ze hem bellen? Konden ze boeken, opgenomen documentaires en komische series, of brieven voor hem meegeven? Als ze dat dan niet vergaten en zij die dingen bij hem afleverde, bleef een reactie uit om hun te laten weten of hun vriendschappelijke cadeaus en attenties ook gewaardeerd werden. Misschien was hij te zwak om te reageren, hoewel hun te verstaan was gegeven dat hij ondanks zijn onaanraakbaarheid – de straling uit zijn lichaam – aan de beterende hand was. Of wekte het feit dat hij als geïsoleerde voor anderen taboe was juist iets complementairs in hem op: vermogen tot communiceren de kop ingedrukt.

Helaas werd besloten dat de grootouders, met wie de kleine Nickie zo goed kon opschieten, misschien maar beter geen contact met hem konden hebben, hoewel de artsen er geen duidelijke uitspraak over hadden gedaan of indirect contact met de straling ook gevaarlijk was. Lyndsay ging naar haar kantoor en Adrian bewoog zich tussen medebestuurders. Maar zeker geen onverstandige voorzorgsmaatregel, hoe ver de straal onzichtbaar licht ook mocht reiken, dat de grootmoeder niet in de nabijheid van het kind was, aangezien zij degene was die aanraakte wat tegen zijn stralende lichaam aan had geschuurd: kleren, lakens, de voorwerpen die in contact waren geweest met lippen en tong. Lyndsay en Adrian lieten het echtpaar tactvol alleen in de tuin, als ze toevallig thuis waren wanneer Benni op bezoek kwam. Maar ze vonden ook dat zij met Pauls vrouw iets persoonlijks moesten hebben en dat dit uitdrukking moest krijgen in een gebaar dat verder ging dan gesprekjes door de telefoon. Wat de omgang tussen Adrian en Benni betreft leek er weinig risico te zijn: Paul was niet meer zo zwak dat hij niet zelf in bad kon; zijn vader hoefde zich niet meer aan gevaar bloot te stellen door hem te helpen. Adrian gaf toe aan de opwelling om Benni op haar kantoor te bellen met een voorstel. En zo verbond Berenice' secretaresse de schoonvader door met de vraag wat Berenice ervan zou vinden als ze samen een hapje gingen eten – kwam haar dat uit? Hij zei natuurlijk niet: Je gaat daarna wél terug naar je kind. Blijkbaar zag ze daar geen gevaar in. Prima, lijkt me leuk.

Adrian moet goed hebben nagedacht over waar ze zouden eten. Hij was een intuïtieve man, die van vrouwen hield en hen waardeerde, en hij had altijd een restaurant voor een vrouw uitgekozen waar ze zich opperbest voelde en er opperbest uitzag, haar soort plek, hoe vreemd de gelegenheid ook was. Toen hij zich onafwendbaar tot Lyndsay aangetrokken begon te voelen, had hij een slepende liefdesrelatie, versleten aan beide kanten, beëindigd tijdens een dineetje in een restaurant waar de vrouw dol op was, en voor zijn eerste etentje met Lyndsay had hij een restaurant gekozen waarvan hij aanvoelde dat het de ideale locatie voor haar was om haar plek in zijn leven in te nemen, levenslang.

Deze jonge vrouw die zijn zoon had gekozen.

Het restaurant was niet zo'n gelegenheid waar familiefeesten werden gehouden omdat de ouders het goed kenden – goed eten en een goede wijnkaart verzekerd. Het was in een buitenwijk waar blanke ambtenaren, voornamelijk Afrikaners, een braaf leven hadden geleid rond hun apostolische en Nederduits hervormde kerken, maar waar ze uit waren weggetrokken na de val van hun regime, toen zwarten het recht hadden hun buren te worden. Daarna werd het een plek waar alles wat verboden was geweest – de vrije omgang tussen zwarten en blanken, niet noodzakelijkerwijs de politieke activisten die die vrijheid hadden verworven – openlijk gebeurde. Mensen uit de wereld van televisie, theater, reclame, journalistiek en alle meelopers in de vrije en toegepaste kunst, maakten er onderling een trendy oord van. Een alternatief voor het chique bedrijfsleven, wat ze zich trouwens nooit hadden kunnen veroorloven. Behalve rap- en jazzbars en restaurants waar homo's of zwarten het liefst kwamen, konden vegetariërs er terecht voor eten conform de verschillende versies van hun geloof; gemengde stellen waren niet iets exotisch dat beperkt bleef tot de nieuwe zwarte bovenlaag en hun blanke partners, die de elegante enclaves van het oude witte geld frequenteerden. En er was iets waar de rijke zakenwereld niet aan had gedacht als deel van het uitgaansleven: een boekwinkel die tot diep in de nacht open was.

Ja, natuurlijk, dit was een van de restaurants waar ze vaak heen ging, met collega's van kantoor en soms met Paul. Het was een bruisende wijk; geuren van kruidenwinkels, marihuana en gepeperd eten dreven samen met flarden muziek de straten in. Paul had in de tweedehandsbakken van de boekwinkel prachtige oude exemplaren gevonden, versleten, door de ratten aangevreten, oude rapporten over gebieden van vóór de blanke kolonisatie, handboeken over rivieren, en informatie over het preïndustriële klimaat.

Zijn vader had iets uitgekozen waarvan hij dacht dat het bij haar paste. Ze wilde tegemoetkomen aan zijn wens om te behagen, te amuseren en troost te schenken – was dat het? – aan zowel de vader als zichzelf door brood te breken, wijn te drinken als bekrachtiging van die onzichtbare rechten die er ongetwijfeld waren (maar waar nooit aan was gedacht, die nooit waren herkend in de Kerstmiskusjes op de wang) tussen degene die uit zijn lichaam de zoon had verwekt en degene die de zoon in het hare ontvangt. De aanwezigheid van een dreigende dood maakt oppervlakkige relaties tot een sacrament. Ze voerden een zeer geanimeerd gesprek. Lachend bekende hij half hoe hij dit restaurant had gekozen. 'Bedankt voor de smoes die ons hier heeft gebracht. Ben nooit in Melville geweest. Wat Lyn betreft: die misschien wel, met een jonge collega van kantoor. Ik denk wel dat ze het leuk zou vinden, we moeten hier zeker samen een keer naartoe. Wat een lekker, fantasievol eten.'

Hij was geïnteresseerd in de ethiek van de reclamewereld; hoe dachten ze bijvoorbeeld het verlies aan inkomsten te compenseren, nu bierreclames bij grote sportevenementen door de regering verboden waren? Dat moest de bureaus toch flink zorgen baren? Hij was ook niet bang om een onderwerp aan te snijden waar degene in quarantaine vermoedelijk ook zijn zegje over zou hebben gedaan. Aan wat voor school dachten zijn zoon en zij voor hun zoontje, nu nog maar een baby? In dit veranderde land kon je nu wel een 'normale' opvoeding krijgen, zoals dat onder de apartheid, toen Paul nog klein was, nooit had gekund, maar dat maakte het kiezen natuurlijk ook weer lastiger. Geen scheiding tussen zwart en blank; maar een jongensschool of gemengd?

De prettige warmte van mensen van haar eigen leeftijd en soort, het eten en de wijn naar haar zin: het element dat tijdens het praten om iemand anders dan haarzelf golfde, was haar bijdrage aan het gesprek met de goed geïnformeerde, attente man tegenover haar – terwijl de zoon erg op zijn moeder leek, kon deze man op zichzelf worden beschouwd, zonder enige andere gelijkenis, inclusief welk verborgen zelf er ook mocht zijn. Ze hoorde zichzelf praten, met beroepsmatig gemak. Ze at zonder verschil te proeven tussen de ene smaak of substantie en de andere. De wijn deed andermans bloed tintelen, niet het hare. Zij, die zo sociaal van aard was, luid begroet met geheven glazen vanaf andere tafeltjes waar medestamgasten bleken te zitten, doorstond in wanhoop de haar omringende, vreemde aanwezigheid van anderen.

De volgende ochtend belde ze de zoon om te zeggen dat het erg gezellig was geweest.

Waarom? Zodat hij zich geen zorgen over haar zou maken. Zodat hij niet bezwaard werd door de twijfel of ze het wel leuk kon hebben zonder hem? Misschien voor altijd. Haar eigen gedrag is haar het grootste deel van de tijd een raadsel. Had ze zich ooit als een vis in het water gevoeld in dat restaurant? Toch moet ze dat uitgestraald hebben; waarom anders zou een man als zijn vader – nee, *Adrian*, een man die van zijn fijngevoeligheid blijk gaf – geweten hebben dat dat voor haar de ideale plek was, buiten de anonimiteit van familie-etentjes in het verleden?

Paul. Vaak stil, als ze daar met haar collega's aan het brassen waren. Was hij alleen maar aandachtig aan het luisteren of – wat ze altijd dacht – liep zijn hoofd over van die veelomvattende, tegenstrijdige factoren in zijn geliefde wildernis, waar hij net vandaan kwam? Paul, met haar samen, maar niet aanwezig. Kosmische problemen. Nog een 'waarom': waarom moest haar man het voortbestaan van de hele godvergeten wereld op zijn schouders nemen en was hij nu zelf een bedreigde diersoort?

Als de beller zwijgt en ophangt, wordt er meer verbroken dan alleen de verbinding via glinsterende draden in de lucht, via ondergrondse kabels of stralende satellieten.

'Hoe gaat het vandaag? Ben je uit bed? Ik kom je morgenochtend om halfelf ophalen, tijd zat, denk je niet, er is dan weinig verkeer.' Lyndsay. Vanwege laboratoriumonderzoek.

'Ik ben woest, schat, dat hoor je zeker wel – zo'n idioot van een klant klaagt over een tv-spotje, die knappe gozer die tegen het nieuwste model sportauto leunt ziet er te nichterig uit, ik moet aan het eind van de middag met de verontwaardigde heren gaan praten. Maar ik kom morgenochtend vroeg langs, voordat ik naar mijn werk ga.' Berenice/Benni. Samen met de vroege vogels in de tuin.

Hij wordt zelfs mobiel gebeld door Derek, die naar de stad terugrijdt na een verkenningsexpeditie naar het gebied van de geplande pebble-bed reactor. Zijn voorlopige bevindingen zijn een beetje te complex om tijdens het rijden door de telefoon uit te leggen; hij zal een provisorisch rapport opmaken en dat aan Benni geven. Derek wil geen enkel risico nemen om de quarantaine te doorbreken, is een beetje bang voor contact in de frisse lucht van niemandsland. Maar dat is niet erg, volkomen begrijpelijk: Derek heeft kinderen, hè. Het mobieltje wacht niet op de afronding van Dereks verontschuldigingen, breekt af in de lucht tussen twee lettergrepen in.

De verdwijningen van deze lichaamloze bellers laten de kamer achter als een vacuüm dat zich tegelijkertijd, zelfs wanneer hij bewegingloos uitgestrekt op bed ligt of daar staat, midden in de starende leegte, weer vult met de overweldigende, sluikse geluiden van hemzelf: zijn ademhaling, vingers die zich bewegen door de bloedstroom terwijl zijn handen aan de polsen bungelen, zijn eigen geur gedistilleerd door dagen en nachten in deze ruimte, onvermengd met de aanraking van de lichamen, de geuren van anderen. Lyndsay komt even snel het bed opmaken en schiet weer naar buiten. De oude hond die de ouders toch een beetje als kameraad beschouwen, is maar één keer binnengekomen, besnuffelde met openge-

sperde neusgaten de ziekenhuistas die hij op de dag van aankomst afwees, keerde zich er weer van af.

Ga buiten spelen.

D e eerste paar momenten daar, oogleden die beurtelings
dichtknijpen en opensperren door de onderdompeling
in het goedaardige licht van de zon, vogels die rinkelen als
mobieltjes. Maar er kan geen verbinding worden gelegd tussen
wilde dieren – zelfs niet de half tamme vaste bezoekers van de
buitenwijken die zich voeden met kweekbloemen, gazonwor-
men en mestkevers – en de lokroep van de technologie. Telefoons rinkelen. In de wildernis het woud de duinen de mangroven de moerassen word je door de dieren genegeerd.
Apparaten die jouw bestaan regelen hebben niets met hun
leven te maken – tenzij ze opgejaagd worden, verdreven van
hun plek in het universum – hun habitat zowel te land als in de
lucht – door leegkap, kaal branden, vervuiling van steden,
industrieën en boerenbedrijven. Door stralende nucleaire
neerslag.

Geen verband tussen die quarantainekamer en hierbuiten.

De tuin: niet alleen de plek waarheen je verbannen bent om
de bezigheden in een volwassen huis niet te verstoren, maar
ook de plek waar je jezelf kunt zijn, tegen de voorschriften in.
Huiswerk onaf achtergelaten, er klinkt geen verwijt door in de
zeurende roep van hadeda's als ze neerstrijken op bomen en
borders, dichtbij.

Kon bijna een hand uitsteken en er een aanraken. De
parelmoeren gloed lichtte mooi terloops op als de zon op de
doffe donkere veren schijnt; zou het toen niet gezien hebben,
zoals het jaren te vroeg was om de vonk van een vluchtige blik
van een vrouw op te merken.

De plankjes van een fruitkist, na lang smeken gekregen van

de groenteman, meneer Farinha, op de hoek. Glimmende spijkers. Zaag uit de tuinschuur en hamer uit de gereedschapskast, waar reservelampen en zaklantaarnbatterijen dooreen lagen (andere vaders zijn beter georganiseerde klusjesmannen). Ze kunnen in hun oude vorm gerangschikt worden, verspreid over het wijde gras, de glinsterende spijkers, de wielen van een oude maaier – of misschien een oude kinderwagen. De speelgoedauto die van die uitgestalde dingen wordt gemaakt, wankel slingerend over de paden, ratelend over de binnenplaats (toen nog van beton), waar Primrose in de verte een rustgevend monotoon werkliedje neuriet.

Niets buiten deuren en muren is ooit echt te temmen. Binnen te houden. Wortels van een peperboom (*Schinus molle*) die het beton naar boven duwden, moesten worden uitgegraven, doorgehakt. Deze jongensjungle, bestemd voor worstelwedstrijden en krekelraces, afgebakend met een stok over het zand, voor de hijgende hete zonde van het experimenteren met wederzijdse masturbatie in het verwaarloosde braakliggende veld achter het hoge, woekerende pampagras, gaf toegang tot een wereld die onbereikbaar is als hij in de toegewezen kamer ligt of, met genoeg te lezen, in zijn eentje in de woonkamer zit, waar hij maar beter niet te vaak kan komen. Hier wordt de straling binnen het gebied van zijn lichaam verduisterd, hier is alleen maar het licht van de zon op zijn huid, rozig door zijn oogleden, gesloten in rust, niet in slaap. De moerassen van St. Lucia die hij bewandelde – hoeveel maanden geleden? – er zijn twee tijdperken, vs, vóór de ontdekking van de woekerende klier, en ns, na de straling – die wildernis kan weer bewandeld worden vanuit deze kleine wildernis, beeldje voor beeldje, indruk na indruk, geur na geur. Met alle zintuigen op scherp merk je alleen maar op, met misschien af en toe een moment van analyse, wat later begrepen moet worden. Bij het leesmateriaal zit niet het rapport dat Benni heeft meegebracht; het ligt aan het voeteneind, alsof het een onbelangrijk blaadje is dat niemand heeft besteld, ongevraagd vakmatig drukwerk. Mag niet afleiden van wat het ook is dat zijn aandacht om de een of andere reden volledig in beslag neemt. Overleven, waarschijnlijk. Terwijl hij hier is, met ogen die in lievelingsbomen klimmen, die dwalen over het opgewonden tempo van radslagen, die een heldergroene grasslang onder weggeschopte bladeren proberen te vangen, kon hij overwegen om de conclusies te bekijken die overbleven na andermans wandeltocht door de wilde moerassen en mangroven, de waterige soep van het leven.

Maar toen hij zich uit zijn dromerij losrukte, terug naar de quarantainekamer om de paar vellen papier te pakken die zo ijverig door een secretaresse van het instituut waren uitgetikt, legde hij ze weg, niet weer aan het voeteneind, maar tussen een stapel videobanden.

Alleen daar, in de tuin, kon hij de wildernis bereiken, het onafgemaakte huiswerk ontvluchten. Been over de vensterbank, op het gras liggen gedurende de vele uren die niet geturfd werden met een stok die lijnen trekt in het zand. De dagen.

Nachten. Het kerngezin, vader moeder zoon, slaapt in een nieuwe samenstelling, verkleind door quarantaine.

Eén keer, diep in de nacht, begon de hond hysterisch te blaffen en Lyndsay stond op en liep achter hem aan toen hij door de opengemaakte voordeur naar buiten stormde, de oprit op. In de ingehouden stilte tussen nacht en dag echode de verstoring van de hond tegen een harde, zwarte hemel. De beveiligingslamp, die bij elke beweging binnen zijn straal aanfloepte, scheen op een naderende man, als een schijnwerper op een beroemdheid. Ze schreeuwde: 'Wat moet dat!' Een antwoord zou normaal zijn geweest voor bedelaars, schooiers, maar idioot voor een indringer met iets in zijn hand dat de vorm heeft van een wapen, dicht tegen zich aan geklemd. De hond maakte rare sprongen en blafte oorverdovend, maar de man moest haar toch gehoord hebben en, alsof ze tegen elkaar aan het schreeuwen en tieren waren, hoorde ze dat hij haar, terwijl hij bleef staan, verwensingen toeriep in een Afrikaanse taal en de grofste obsceniteiten in het Engels, waarna hij zich met een ruk omdraaide en voor de hond uit begon te rennen, en half klauterend, half springend over het ijzeren traliehek van de tuin verdween.

De zoon, verderop in de gang, dubbel geïsoleerd door het slaapmiddel dat hem was voorgeschreven, en de echtgenoot, slapend op zijn goede oor, met alleen het andere, dat steeds slechter werd, boven de dekens, werden niet wakker. De zoon was half van de wereld en de echtgenoot hoorde met een zwak volume het soort ergerlijke kabaal van de hond dat meestal was te herleiden tot een enge droom.

Toen ze 's ochtends over het voorval met de man op de oprit vertelde, waren ze verbijsterd, verwijtend uit bezorgdheid. 'Maar waarom heb je niet een van ons geroepen! Waarom gaat een vrouw, met twee mannen in huis, midden in de nacht achter een indringer aan?' Adrian weet dat deze vrouw, zijn vrouw, voor geen kleintje vervaard is, maar...

'Lieve mama, koppig mens, om niet te zeggen superstom!' Haar zoon.

Haar mond vertrok tot een afkeurend glimlachje over hun bezorgdheid en verwijten.

Adrian. Zijn vader leek het niet als een smet op zijn mannelijkheid te zien, dat voorval. Je hoeft geen macho te zijn – dat snelle oordelende woord waarmee Benni mannelijke reacties meet die zij, zegt ze, zo vaak tegenkomt in haar werk – om gewoon te accepteren dat er zich situaties voordoen waarbij een man, uitsluitend om fysieke redenen, de aangewezen persoon is om te handelen. Adrian leek zich er alleen van te willen verzekeren dat Lyndsay geen enkele schade had ondervonden door bedreiging of angst, alsof hij dat gezicht dat lichaam die geest van haar grondig wilde onderzoeken, respectvol, om er zeker van te zijn dat die nachtelijke confrontatie van vijf minuten niet trauma-tisch was geweest, niet alles op zijn kop had gezet. Je staat er nooit bij stil – het zijn jouw zaken niet, zoals dat gaat als je zelf volwassen bent – dat je vader nog steeds dit soort seksueel geladen gevoelens koestert voor een vrouw, de vrouw die je moeder is.

Zijn vader, die een vaste nachtbewaker had ingehuurd die via een intercom verbonden was met een surveillancebedrijf, heeft het incident gemeld, waar op gepaste wijze op werd gereageerd onder de huidige leefomstandigheden.

Het hangt ervan af van wie. Een incident zonder schadelijke gevolgen heeft misschien een ander gevolg binnen een andere leefomstandigheid. Een jongeman zou niet door de duidelijke opschudding heen zijn geslapen als hij niet een schim van een man was, een schaduw van zichzelf, totaal stoned en impotent, oftewel niet bij machte om iets te doen, door de medicijnen die hij slikt en de straling die door de activiteit in zijn aderen zijn brein verblindt. Dit is de monoloog als hij binnen de vier quarantainemuren ligt, terwijl zij, de anderen, Benni/Berenice, Adrian, Lyndsay, de vrienden die zich van de veiligeafstands-telefoon en e-mail bedienen om te informeren hoe het met je gaat, zogezegd hun eigen bedoening hebben. Be-doe-ning.

De tuin is de plaats waar de groep jacarandakruinen beroerd worden door dezelfde wind die langs de zachte wang van de jongen strijkt, waar een nietswaardige, nooit uitgeroeide slak, vanuit je ooghoek betrapt, peristaltische bewegingen maakt over een steen, de plek waar de wijsheid is die een eenzame monoloog verandert in een soort dialoog. Een dialoog met vragen; of antwoorden die elders nooit gezocht, gehoord werden. Zelfs niet in de wildernis, waar ze ooit de waarden van meetinstrumenten verstoord moeten hebben; het lichaam van een vis die met zijn buik naar boven drijft? Volgens de artsen is er een aanzienlijke verbetering waarneembaar in die andere waarden. De straling zal weldra afnemen en helemaal verdwijnen, en dan mag de leproos van de eenentwintigste eeuw terugkomen om aan te raken en aangeraakt te worden.

Aanvaard te worden en te aanvaarden.

Waar komt hij naar terug? 'Je bent straks weer thuis, je hebt het wel gehad met ons!' Lyndsays vreugde, voor hem. Berenice aan de andere kant van niemandsland: 'Zullen we even weg? Lekker luieren in zo'n luxe oord waar mijn bureau reclame voor maakt, die prachtige wildparken... Nee... je bent genoeg weg geweest, alleen wij en Nickie in ons eigen huis.'

Wat betekent het: teruggaan?

Het individu, de vrouw, de begeerte – het personage Benni/Berenice. Haar creëren zoals de vader met de moeder deed, zoals hij haar wezen bestudeerde nadat ze het in gevaar had gebracht door 'Wat moet dat!' te schreeuwen.

De man, die verlaten in de nachtelijke tuin stond, rende weg, terug. De enige keer dat híj nog zo laat in de tuin was, was toen hij mocht opblijven om Nieuwjaar te vieren met een spetterend vuurwerk.

Terug, om vergeving te krijgen, om het goed te maken met de kleine jongen (hij lijkt als twee druppels water op je) omdat hij in de steek was gelaten door 'Papa! Paul!' terwijl zijn vingers van de tralies van het hek losgewrikt moesten worden. Ach, die jongen is nog zo jong; het wordt vergeten en weggestopt in het mapje kindertijd.

Alleen om terug te komen, misschien, bij een psychiater die de pijnlijke agressie van een puber probeert te ontknopen. Zoveel halfvolwassenen van wie de ouders niet kunnen begrijpen waarom die dreigende wezens die zij verwekt hebben zijn zoals ze zijn.

Wat wil je. Wat wilde je. Waar neem je genoegen mee.

Vijf jaar verstreken: een bestaansfase waarin de vraag – als het een vraag is, er is immers een keus gemaakt – niet van binnenuit klinkt. Er was – is – daar geen plaats voor. Maar dít onvoorstelbare begrip 'levenstijd', niet te bevatten – een bestaansfase die nooit had kunnen, mogen gebeuren – doet hem iets beseffen wat hij nooit durfde toegeven. Door de straling wordt het verborgene of onontdekte uitgelicht.

Teruggaan, terug naar de tegenstrijdigheid die de intimiteit tussen een man en een vrouw ongetwijfeld verstoorde. Het één zijn van de seksuele bevrediging binnen de andere voorwaarden van het leven, in de wereld staan, je binden aan een geloof of politieke richting, vasthouden aan normen en waarden (die kun je niet afmeten aan je eindejaarsbonus), trouw blijven aan je principes, wat je belangrijk vindt in je werk, behalve dat je ervan kunt leven – is het te scheiden? Ik doe mijn ding, jij doet jouw ding, en toch horen we probleemloos bij elkaar. Een volmaakt paar. Het bewijs van dat succes: het tere twee-in-een vlees van het kind. Niemand die het feit onder ogen wil zien dat dit 'succes' ook het gevolg kan zijn van de grootst mogelijke afstand tussen een man en een vrouw 'samen': verkrachting.

Benni bedoelt het goed als Berenice oppert een weekend uit de toestand te stappen waarin de onaanraakbare een kluizenaar was in zijn eigen lichaam – mijn god, natuurlijk heeft ze op haar manier zich proberen in te leven in wat dat betekent – en dat hij terugkomt, thuiskomt. Om de draad weer op te pakken. Goed bedoeld. Waarom zou je dan het antwoord geven op een vraag die je al zo lang niet aan jezelf hebt gesteld, om zoiets gewichtigs naar buiten te brengen? Het was iets totaal onbelangrijks, haar idee om hem een plezier te doen; snel weer van de baan. Iets totaal onbelangrijks, waar hij in zijn huidige bestaan alle tijd voor heeft om te begrijpen hoe en waarom degene ertoe kwam het voor te stellen. Benni heeft een Berenice-oplossing voor het feit dat hij na zo'n buitenissige afwezigheid weer terug is: een paar dagen ontspannen in de bush, aangeboden door een van de klanten voor wie het bureau reclame maakt. Luxe hotel-kamers, zwembad en sauna, de Big Five, zeker te zien op safaritochten, een portable bar aan boord van de open terrein-wagen. Hij houdt immers van de natuur, de dieren, vogels, insecten; laat hem, voordat hij het leven met zijn drietjes weer oppakt, teruggaan om weer aansluiting te krijgen met het werk waar hij zo door werd opgeslokt. Voor Benni is Berenice' aanbeveling een wildernis in het klein. Ze heeft op een bepaalde manier gelijk. Zulke oorden imiteren het leven in de jungle voor inheemse wilde dieren, die het anders niet zouden redden vanwege industriële en stedelijke uitbreiding; het gebied dat is opgekocht door de zogenaamde vrijetijdsindustrie is land waar de evenzeer inheemse bevolking van werd verdreven door koloniale oorlogen en daarna door het ruilen van eigendomsakten voor papiergeld tussen generaties veroveraars die wetgevers werden. Veel van de klanten waar het bureau zich op laat voorstaan ('high profile' is de begeerde categorie in de branche) zijn bedrijven die vergunningen opkopen om luxe vakantieoorden te bouwen, waar het milieu dit soort projectontwikkelingen helaas niet zal overleven. Er was – ís (hij moet niet denken dat het gebied er niet meer is, omdat híj er niet is) een consortium dat de regering probeert warm te maken met garanties voor geweldige toeristische groei, het economisch oppeppen van de omringende streek (de hele litanie), een project om een hotel, casino en jachthaven te bouwen als onderdeel van het enorme droogleggingsplan dat de regering voor ogen heeft. Een ontwikkelingsramp.

Wie gelooft Berenice? Hem – haar man – of de klant? Wat is haar opvatting als hij uit de wildernis terugkomt met het verhaal dat het onvervangbare bos gekapt wordt om plaats te maken voor een casino, dat de vissen met hun buik omhoog drijven in wat er nog rest van een rivier, afgesneden om een zwembad van olympische afmetingen en een replica van een van de fonteinen in Rome van water te voorzien? Wat is haar eigen opvatting? Die van hem of die van de klant? Of is het niet zo zwart-wit. Zo macho, zou ze ervan maken. Het is iets... Stop. Luister niet meer naar het antwoord. Maar je kunt niet terug zonder het te weten.

Zij is het personage dat geen opvattingen hoeft te hebben. Wat is het? Een verschrikkelijk gebrek. Een afschuwelijk soort zuiverheid? Maagdelijkheid; of onderontwikkeling. Die term is wel geschikt.

Niet oordelen. Vijf jaar lang, als je alleen het uiterlijke symbool van het huwelijk rekent als de eenheid van intimiteit, niet de liefde die aan de formaliteit voorafging, was daar altijd het gegeven dat samen hetzelfde bed delen niet betekent dat je ook dezelfde principes deelt: je opvatting over hoe je in de wereld staat. Opvatting, maar welke? Je kunt er niet soepeltjes twee opvattingen op na houden, buiten je zelfbesef. Een voor de klant en een voor thuis. Hoe kon hij, juist hij, wiens werk, wiens reden van bestaan het beschermen van leven is, zo lang samenleven met iemand, juist zij, die het met succes hielp te vernietigen?

Leven in isolatie, al die tijd al. Zelfs wanneer hij binnen in die vrouw was.

Later, in de tuin, weg van de ingesloten straling in die kamer, is het hem heel duidelijk: de reclame-industrie en de milieu-bescherming zijn twee extremen. Twee clichés. Wat dan nog? Kan het niet eens bij zijn echte naam noemen. Onverenigbaar. Omdat de wereld, anders dan het individu, geen absoluten kent; hij bestaat uit een mix die nu eenmaal hoort bij een gemengde economie. En hoe zit het met de vrouw, Benni/Berenice. Wat een lul is die door haar uitverkoren man geweest. Ja, blijkt niet meer dan een lul te zijn in zijn relatie tot haar.

De onschuld van de boom waarin hij klom, het perspectief dat je lééfde, vanuit die hoogte, de gefantaseerde schets van het vrouwenboomhuis van de zusjes – alles aanvaard, de zonde achter het pampagras, het vangen van vrije vlinders, het vallen van de vogel, neergehaald met een katapult.

Maar in de Tuin volgde uitdrijving zodra er Kennis was.

Scheiden? Scheiden, na alles wat ze heeft doorstaan aan de andere kant van de quarantaine, haar werk gedaan, in het levensonderhoud voorzien, het kind verzorgd dat 'Papa Paul' riep, gelachen en grapjes gemaakt om het leven te normaliseren in de kloof tussen de tuinstoelen. Terwijl het onzekere wiegen van de jacarandakruinen, vreemde tongen in bomen, geen uitkomst biedt, rinkelt er binnen langdurig een telefoon. Wordt genegeerd, tot de onbekende beller ophangt. Maar die blijft hardnekkig volhouden. Aan zo'n vasthoudendheid valt haast niet te ontkomen. Nog steeds duizelig, ook nu, van liggend naar rechtop, is de weg naar het huis een trage tocht. Het gerinkel houdt op; maar begint dan weer, een aanmoediging.

'Nou, luie donder, hoe gaat ie? Chef, *haai*! We horen maar niks! Er is zoveel aan de hand. Ik zit weer helemaal in het kiezelgebeuren, explosief man, kan ik je melden. Maar wat denken die dokters wel dat ze je zo opsluiten, voel je je wel goed? Wanneer kom je terug? Moeten ze je niet eens een keer vrijlaten? Dus... Mooi, dat is geweldig. Geestig – geestig! Zeg, heb je het al gehoord? Het instituut voor kerntechniek zegt dat de nieuwe reactor in Koeberg zo veilig is dat je "er blind op kunt vertrouwen". Je moet wel blind zijn om daarop te vertrouwen, toch, jongen? Maar als de minister officieel het groene licht geeft, slepen we hem voor de rechter met dat zogenaamde gunstige beoordelingsrapport waar zijn mannetjes mee zijn gekomen. Man, ik heb je zoveel te vertellen, wat er allemaal gaande is; we krijgen met de dag meer steun van protestorganisaties. Grote namen. Fantastisch. Ik zeg je: die reactor wordt zweten voor die knakker... Nou, wanneer kan ik je opzoeken, geen idee waar je bent...'

'Niet doen, ik wil je graag zien, jongen, maar we mogen niet in één ruimte zitten, we moeten dan de tuin in, als twee kinderen die de kamer uit worden gestuurd. En zelfs dan is het niet helemaal veilig. Waarom zou je risico lopen, ik ben m'n eigen experimentele pebble-bed reactor.'

Een bulderende lach in de hoorn. 'Geestig! Geestig! Maar dat is nonsens, non-sens. Hoe zit je in het weekend? Dan ben ik weer in de stad. Wat is het adres? Ik kom 's middags en neem dan wat spullen mee waar je naar kan kijken. We hebben je nodig.'

Bij zijn komst moet hij tegengehouden worden, als hij zijn armen uitspreidt voor de Afrikaanse omhelzing, een uiting van de vrijheid waar zwarte mannen samen voor gevochten hebben, die korte metten maakt met de gêne van de blanken dat godvrezende heteromannen elkaar niet knuffelen. (Thapelo zat op zijn zeventiende in een commando van de Mkhonto we Sizwe*, een ander soort strijd in de wildernis.)

Hoe heb je controle over wat je voor andere mensen bent? Primrose, haar besluit om te blijven ondanks de riskante quarantaine, terwijl de ouders – en de melaatse zelf – geen andere keus hadden dan erop te hameren dat de trouwe bediende dezelfde behandeling zou krijgen als ieder ander buiten de ouderlijke verantwoordelijkheid, en dus moest worden weggestuurd, weg van het gevaar. Hoe bepaal je de risicogrens voor verschillende mensen – de papieren borden bijvoorbeeld, besmet met stralingsspeeksel op lepels en vorken, opgeruimd. Weggegooid in de vuilnisbak, waarna het terechtkomt op de belt, waar kinderen uit de townships het afval doorzoeken. Wat betekent 'opgeruimd' in termen van welke vervuiling dan ook? Het is een levenswerk ons ervan te doordringen dat niet alleen het vuil dat in de zee wordt geloosd terugkomt om een andere kust te besmeuren, ongeacht wiens vuil het is.

Deze man is anders dan die vrouw die nauwelijks kan lezen of schrijven; hij is wetenschappelijk geschoold, in zijn vakgebied is hij zich dagelijks bewust van de verraderlijke kracht van straling. Primrose gelooft niet in dingen die ze niet kan zien; hij weet wat niet gezien kan worden terwijl het wordt uitgestraald door iemand die zijn eigen Tsjernobyl is, zijn eigen experimentele kerncentrale in Koeberg. Waarom waren die twee niet bang? Makkelijk zat om dat, als blanke man met een erfgoed aan geschiedenis geënt op het dogma dat zwarten minderwaardig waren, op gevoelsgronden toe te schrijven aan het feit dat ze allebei zwart, dus beter, waren. Bereid om risico te nemen in contact met medemensen. Waarschijnlijker is, zowel voor deze oud-vrijheidsstrijder en collega in wetenschappelijk onderzoek als voor de ongeschoolde vrouw, dat hij is blootgesteld en dus gewend is aan veel dreigingen als kind in de quarantaine van de apartheid, nog vóór de dreigingen van de oorlog.

Thapelo bracht koud bier mee en een uitpuilende aktetas met papieren. Bier in de tuin was de eerste alcohol na gedwongen onthouding. Het risico van een heftige reactie waard, in het gezelschap van een bevriende collega. De zon zakte weg in de horizon van struiken, en het werd donker in de tuin, totdat er een licht op het terras opdoemde en de stem van de moeder liefdevol riep, een vertrouwde, zacht dwingende echo: 'Paul, zou je niet eens binnenkomen?'

2

Toestanden

Z e vertrok haar mond tot een afkeurend glimlachje over hun bezorgdheid en verwijten.

Als er iemand moest worden doodgeschoten door een indringer, mocht dat niet een van haar beminde mannen zijn; pas nu, door een ander soort bedreiging, dringt het besef door hoe diep die liefde is. Kon het hun niet zeggen. Dat was haar reden om de indringer tegemoet te treden, alleen. Een bedreiging waar je tegen kon vechten. Dat was in elk geval duidelijk in de chaos van gebeurtenissen die hun was overkomen; Paul, Adrian Lyndsay. Er waren verschillende manieren van aanpak om de situatie proberen te begrijpen; ze moest daar minder subjectief tussendoor manoeuvreren, als een vrouw die 'Lyndsay' heette. Orde op zaken stellen. De meteoor van het ondenkbare was op de zoon gevallen; hij was degene die de onzichtbare straling verspreidde. Paul. Wat er met hem gebeurde mocht niet laatdunkend vergeleken worden met wat er binnen zijn radius gebeurde met de vader, Adrian, en de moeder, Lyndsay. Als verwekker heb je ergens in jezelf een overlevingspakket weggeborgen, uitgerust met zowel praktische als psychologische middelen om met de bekende lijst van bestaanscrises in het leven van je kinderen om te kunnen gaan: mislukte carrière, suïcidaal gebrek aan zelfvertrouwen, ongelukkige liefde, gestrand huwelijk, verandering van seksuele voorkeur, drugsverslaving, schulden. Ze hadden het gestrandehuwelijksyndroom al gehad met de dochter die zo snel na de zoon werd geboren, maar het bleek voor haar eerder een nieuwe impuls dan een trauma te zijn, ze heeft een nieuw land, een nieuwe taal en een

nieuwe man om haar kennelijke behoeften te vervullen. In haar
eerdere loopbaan als advocaat was het personage Lyndsay
bekend met de complete gangbare lijst, maar nu richt ze zich
al jaren op de mensenrechten en het staatsrecht. Adrian bleek
het meest begrip te hebben voor de manier waarop Emma zou
kunnen ontsnappen uit het web van haar eerste huwelijk:
advocaat Lyndsay hoefde alleen maar de praktische middelen
te leveren om het contract te annuleren. Hij zei voorzichtig
tegen hun dochter dat je uit trots en kwaadheid misschien te
snel iets kapotmaakt wat van wezenlijk belang voor je is. Ze was
toch altijd stapelgek op die man geweest, ongeacht wat er later
allemaal tussen hen was gebeurd. Gun jezelf de tijd om zeker te
weten of de enorme koppigheid waarmee je hem afwijst – een
beslissing neemt terwijl je er te veel van binnen hebt, van dat
koppige goedje – niet van jou de man heeft afgenomen die je
echt wilt, die het waard is om alle desillusies die er waren te
accepteren. En zo koos het meisje dat te jong was getrouwd niet
voor een snelle, nette scheiding. Onbegrijpelijk genoeg, in de
ogen van haar moeder (het kinderhuwelijk was immers al tot
mislukken gedoemd voor het tekenen van de trouwakte), nam
ze een halfjaar de tijd om zichzelf te testen, en daar had ze geen
spijt van, zoals ze haar vader toevertrouwde: het was een goed
besluit geweest. Nu ging ze scheiden in de kalme zekerheid dat
het huwelijk niet van levensbelang was, niet voor haar, noch
voor haar man. De vader protesteerde niet, oordeelde niet,
blijkbaar had hij hier ook vrede mee? Het proces was voltooid,
en de uitkomst, wat die ook was, werd erdoor gerechtvaardigd.

In onzekere situaties als deze zijn er herkenbare wegen te
bewandelen en emotionele aanpassingen te maken, ook al
reageert ieder individu er anders op. Wat er is gebeurd – deze
formulering duidt op het verleden; er is nu een heden, dat niet
bestaat in het palet van bekende ervaringen. Alleen Japanners
zullen dat misschien begrijpen; zij hebben het als 'gebruikelijk'
moeten ervaren ('normaal' is een woord dat in dit geval niet

van toepassing is) dat er kinderen werden geboren, generaties na het licht dat feller was dan duizend zonnen, die een arm of been misten of een hersenbeschadiging hadden.

Pauls worsteling met een onvoorstelbare toestand van het zelf. Ze ziet het in zijn gezicht, de onbeholpenheid van zijn lichaam, alsof hij voelt dat het lichaam niet van hem is, in zijn manier van praten, zijn woordkeus, de keus tussen wat er gezegd mag worden uit al die dingen die onzegbaar zijn. Ze is zich bewust van deze toestand als ze zijn bed opmaakt en als ze bij de brommende wasmachine staat, terwijl ze haar ogen niet af kan houden van zijn besmette kleren die achter een rond raam in het water ronddduikelen, met Primrose paraat. Dit is het domein van Primrose, hoe akelig rolbevestigend dit ook klinkt. Lyndsays aanwezigheid in het washok in de achtertuin kan nooit 'gebruikelijk' zijn.

De eindeloze uren die hij in de tuin lijkt door te brengen. Zonder boek, zonder radio. Denk je in, een poging om zijn toestand achter te laten in dit gevangenhuis. Niemand zou zich dat kunnen voorstellen. Het gaat niet alleen over de lichamelijke en geestelijke gesteldheid van een individu; het gaat over het uiteenvallen van de historische context van zijn leven, verteld vanaf zijn jeugd, als klein jongetje, tot seksueel volgroeide, intelligente en intellectuele man. Het is een toestand, los van de continuïteit van zijn leven.

Elke ochtend geconfronteerd met het bewijs van een dergelijk fenomeen, als ze haar hoofd om de deur steekt om hem gedag te zeggen voordat ze naar haar advocatenkantoor en de vaste structuur van het recht gaat, klaar om de ontwrichtingen van het menselijk bestaan te behandelen met het wetboek in de hand, en hem bij terugkomst aantreft in de donker wordende tuin of op bed in zijn cel – dit woelt het ongewenste inzicht los dat er andere vormen van vervreemding bestaan.

Nu ook onvoorstelbaar.

Vijftien jaar geleden zat ze op een avond thuis en zei: Ik moet je iets vertellen: de relatie is voorbij.

Dezelfde vertrouwde kamer, waar hun zoon nu avonden bij hen zit, terug in zijn jeugd, en luistert naar muziek.

In deze kamer kreeg Adrian te horen dat zijn vrouw Lyndsay een vier jaar durende verhouding met een andere man had verbroken. Hij keek naar haar zoals hij haar al die jaren later aankeek toen ze hem vertelde dat zijn zoon schildklierkanker had. Blauwe ogen, donker en intens.

Ik dacht dat je zou zeggen dat je bij me wegging.

Ze had de man ontmoet op een congres, vanwege een stap in haar carrière die hij, Adrian, praktisch had mogelijk gemaakt. Voor hem is liefde (zoals ze eindelijk had ingezien) ervoor zorgen dat de geliefde zich kan ontplooien. In het begin van hun huwelijk had hij veel verantwoordelijkheden op zijn schouders genomen wat betreft de opvoeding van de kinderen en de afleidende huiselijke beslommeringen, zodat zij vrij was om haar studie af te maken en de juiste contacten te leggen om balieadvocaat te worden en haar ambitie te verwezenlijken om mensenrechtenzaken te behandelen. Wanneer zij geïnstrueerd werd over een zaak die haar zeer na aan het hart lag, stemde hij snel af op de gepassioneerde stemming waarin zij thuiskwam. Nadat ze de zaak in lekentaal tijdens het eten had uitgelegd, vierden ze dat later in bed. Soms, als reactie op zijn vragen – een reflectie op andermans leven – zei ze: Je had een prima advocaat kunnen worden. Maar hij had iets anders gewild, waar ook niets van gekomen was: hij had archeoloog willen worden. Een beetje graven, zo bagatelliseerde hij het serieuze beroep dat een roeping was geworden, onderwerp van lezen in zijn vrije tijd en sporadische bezoeken aan een archeologische opgraving die voor het publiek was opengesteld. Maar weinigen worden een Leakey of een Tobias. Toen ze zich met trouwen en kinderen moesten gaan bezighouden en dat beetje graven misschien pas na jaren, of misschien wel nooit, brood op de plank zou brengen, nam hij in de tussentijd, in plaats van te studeren voor dat beroep, een baantje met goede vooruitzichten als jongste bediende bij een zakenbedrijf, waar hij inderdaad met zijn brede intelligentie, die alleen maar op topniveau kon functioneren, ook in zaken die hem niet werkelijk interesseerden, opklom tot succesvolle middenkadermanager bij een internationaal concern.

Zij profileerde zich zo sterk in mensenrechtenzaken dat ze met de allergrootsten in haar vak had samengewerkt, George Bizos en Arthur Chaskalson, in de laatste jaren van het oude regime, toen mensen die de moed hadden daar juridische actie tegen te ondernemen, steun ontvingen uit de hele wereld, terwijl de grote mogendheden aarzelden of ze de bevrijdings-beweging en zijn militaire acties moesten ondersteunen met sancties tegen het regime. Zo nu en dan werd ze uitgenodigd voor congressen in het buitenland over mensenrechten en staatsrecht – vooral dat laatste een aspect waarin zij zich aan het verdiepen was voor de toekomst: het land zou een nieuwe grondwet krijgen, er moesten nieuwe wetten worden uitge-vaardigd als het oude regime ter ziele was.

Op een congres in haar geboorteland, in haar geboortestad, waarbij zij zitting had in het organisatiecomité van de Orde van Advocaten, kwam ze de man weer tegen. Hij was zo Europees als zij dat niet was; een Europeaan met een tamelijk grote naam in het internationale juristencircuit. Gastvrij op eigen terrein hield ze zich aan het protocol dat collega's de verplichting om de buitenlandse bezoekers te vermaken onder-ling verdeelden. Zij nodigde deze man, die ze in elk geval al één keer had ontmoet, uit om bij haar thuis te komen eten. Adrian was gastheer. De man was niet een bijzondere persoonlijkheid aan deze tafel, waar een van de couverts nu uit papieren bordjes bestaat, en de geschiedenis vermeldt niet of hij met de man van de collega, met wie hij voor de tweede keer over het werk

77

praatte, meer dan vrijblijvende eettafelgesprekjes uitwisselde. Bij het genoeglijke geroddel over gasten nadat ze de deur uit zijn – boeiend, saai of nietszeggend – was er in zijn herinnering niets over die man gezegd. Maar misschien had hij dat verdrongen.

Wellicht als dank voor de gastvrijheid, in plaats van een aan huis bezorgde bos bloemen, stelde de man de volgende dag voor om de lunchhapjes in het congrescentrum over te slaan en ergens anders iets spannenders te gaan eten. Tête-à-tête was hij leuker dan tijdens een diner. Misschien had hij zich verveeld. Een paar dagen later gingen ze samen iets drinken, waar ze – dat was ze met hem eens – na een lange zitting wel behoefte aan hadden. Tijdens het halfuur in een bar werd de bespreking van juridisch ingewikkelde zaken voortgezet – kennelijk had hij ontzag voor haar kennis van de wettelijke grenzen in dit land, waar hij geen ervaring mee had. Toen het congres was afgelopen en men uit elkaar ging, nam hij van haar als laatste afscheid. Toen was daar dus ineens dat moment in die menigte: ze moesten elkaar weer zien.

Misschien was hij het wel die het zo regelde dat ze op een seminar in zijn land werd uitgenodigd. De pret samen, de gedeelde ironische opmerkingen over de gang van zaken, de verrukte ontdekking, ieder voor zich, van de intelligente intuïtie van de ander, het gevoel van iets nieuws, een man een vrouw, wachtend op erkenning, het leven dat met gekromde vinger wenkte, dat alles leidde naar een kamer in een hotel. Niet waar ze met de andere collega's logeerden – ze zijn geen naïeve pubers – en waar hij betrapt had kunnen worden wanneer hij haar kamer verliet of zij die van hem op een tijdstip dat maar voor één interpretatie vatbaar was.

Wat moet dat een jongemeisjesachtige opwinding hebben gegeven. Om onweerstaanbaar aantrekkelijk te zijn voor een man: een vrouw van in de veertig, met een liefhebbende man, volwassen kinderen, een geslaagde carrière in een door mannen gedomineerd beroep; op naar een nieuwe, volwassener vrijheid. Niet laten lopen, maar pakken, net als die andere kansen: pleiter voor de mensenrechten, opgenomen in de maatschap van een advocatenkantoor. Seksuele vrijheid, jazeker. Niet als een starre feministe, alsjeblieft niet, die orgasmen turft als een grondwettelijk recht, maar als een vrouw die Simone de Beauvoir had gelezen en voor wie het moment was aangebroken om haar idee van 'bijkomstige liefdes' uit de kast te halen. Seksuele vrijheid, ja. Maar dat niet alleen. Vrijheid om iets nieuws te ervaren, dit samen met een andere geest, persoonlijkheid, binnen dezelfde gedeelde structuur van intellectuele activiteit. Had je dat niet al in overvloed, die gedeelde intellectuele activiteit, met je dagelijkse collega's? Maar niet in de speciale context van intimiteit met een ander.

Bijkomstigheid vereist dat datgene waar het bij komt niet wordt verstoord. Er moet een complete strategie worden bedacht om dit zeker te stellen, of dat in elk geval te proberen. Het houdt een gedragscode in, ook bijkomstig, die zich onderscheidt van de code die altijd is nagevolgd in de persoonlijke en professionele ethiek. Uitnodigingen voor congressen en seminars op veilige afstand in het buitenland waren de beschikbare middelen om de vrijheid van de bijkomstigheid te nemen en tegelijkertijd te beschermen wat er niet door mag worden aangetast: Adrian, de basis Adrian-Lyndsay-zoon-en-dochters. Niet-bestaande congressen voldeden evenzeer aan dat doel als wel-bestaande. Mensen huldigen zonder twijfel het principe dat leugens misschien geen levens redden, maar dan toch het leven op orde houden. Die orde werd op geen enkele manier materieel verwaarloosd: dat staat de code niet toe. Het inkomen van een advocaat was toereikend om het normale school- en collegegeld en de vakanties voor het gezin te betalen, maar ook vluchten naar verre landen, waar slechts urgente ontmoetingen van niet-professionele aard werden gepland. De urgentie was iets ongevraagds en onvermijdelijks, niet aan twijfels onderhevig; daarvoor was hij te sterk. Alsof een bepaald soort gedrevenheid, die iedereen in zich heeft en een sluimerend bestaan kan leiden, altijd onzichtbaar gebleven, plotseling tot uitbarsting komt.

Telkens wanneer ze terugkeerde van deze gewone reisjes wijdde ze zich met enthousiasme aan de instructies die op kantoor op haar lagen te wachten. (Hoe was de laatste bijeenkomst – Japanners, toch? Australiërs. O, niks nieuws.) Adrian en zij vreeën om haar thuiskomst te vieren. Waar ze ook maar als ander personage was geweest. Het vrijen met een vreemde had haar eigen avances en reacties verbeterd. Zo onberekenbaar zijn menselijke relaties nu eenmaal. Ze zag dat ze Adrian genot bezorgde met een vaardigheid die ze nooit eerder dacht te hebben getoond. Dat was het dus wat sommige ervaren prostituees – 'sekswerkers' heten ze nu – zich verwierven. Adrian moet gedacht hebben dat het kwam door het gemis dat ze tijdens haar afwezigheid had gevoeld.

De man wist zich opnieuw te laten uitnodigen in haar land, haar stad, om aan een universiteit gastcolleges te geven over internationale jurisprudentie. Ze ontmoetten elkaar 's middags laat in motels in naburige stadjes. Zijn lesprogramma was niet zwaar; hij had uren kunnen doorbrengen in de bibliotheek om eigen onderzoek te doen naar het Romeins-Nederlands recht als onderdeel van het kolonialisme waar hij zich, zoals bekend, mee bezighield, ad hoc, als het ware. Haar secretaresse op kantoor gaf bellers de boodschap door dat ze een afspraak had met een cliënt. Hij trof de vrouw en haar man op etentjes bij collega's thuis. Het was vreemd geweest als hij nooit was uitgenodigd, zoals op een vorige gelegenheid, bij hen thuis. Weer kwam hij eten, samen met andere gasten. Op een tafel in deze woonkamer, waar de oude hond, die in elk geval een beetje gezelschap vormt voor de afgezonderde zoon, nu op een bank ligt, ziet hij een aantal dikke romans en salontafelboeken over archeologie liggen. Gastheer Adrian, die zijn terloopse belangstelling opmerkte, kwam een praatje met hem maken. Een prettig gesprek. Heb je zin om een keer naar een opgraving te gaan? Ik kan dat wel voor je regelen… Tja, de bakermat van de mensheid en dergelijke dingen meer… Ik zou van de tijd dat ik hier ben moeten profiteren – ik moet even kijken of ik me vrij kan maken, ja.

Natuurlijk deed hij het niet. Gewoon, onvermijdelijk sociaal contact is onderdeel van de code, maar verder moet het niet gaan.

Maar het lag voor de hand dat wat op de Seychellen of in Bonn aan het toeval werd overgelaten, te dichtbij kwam om zonder vergissingen georganiseerd te worden; een onoplettend moment in de vertrouwelijke knusheid van thuis. Ze gingen naar een toneelstuk, het echtpaar, en zij was net terug van een motel en had een strooien handtas open op het bed laten slingeren. Of Adrian het niet helemaal vertrouwde dat ze de laatste tijd elke middag weg was als hij haar op kantoor belde, en daarom in haar tas keek (op zoek naar een adres, een naam?) – bijzonder onwaarschijnlijk, zowel de achterdocht als de daad – of dat het plastic doosje waar haar rubber pessarium in zat, dat hij kende als een van de (vrouwelijke) parafernalia in hun badkamerkastje, uit de tas was gevallen, weten we niet. Zij zal er nooit achter komen. En evenmin zal ze erachter komen hoe hij ertoe kwam het doosje open te maken en zag dat het leeg was. Het ding zat in haar.

Dus moest er een heel nieuw artikel en sub aan de code worden toegevoegd.

Hij had niets gezegd toen ze hun slaapkamer binnen kwam, terwijl ze haar pas gewassen rode haar borstelde dat hij altijd zo mooi vond. Ze reden naar het theater; hij was kennelijk moe, dus zaten ze samen gezellig te zwijgen. Ze babbelden met bekenden die ze in de foyer tegenkwamen. Tijdens de voorstelling deed ze haar hoofd even opzij om hem iets toe te fluisteren en zag iets in het donker waardoor haar hart oversloeg uit een soort onheilsgevoel. Het licht op het podium scheen op een traan op zijn wang, vertrokken van verdriet.

Kwaadheid streed met ongeloof in de dagen, weken die erop volgden. En verdriet. Verdriet moet beheerst worden. Hij vroeg, hij eiste te weten wie de man was. Niet iemand die je kent. Hij raadde: Was het…

Je kent hem niet.

Iemand van haar collega's, hun vrienden…

Je kent hem niet.

Hij beschuldigde haar niet, zij verdedigde zich niet; hij stelde geen ultimatum, breek met hem, breek met ons. Hij kon Hen niet verbreken, en zij Hen ook niet.

Hij droeg zijn verdriet, zij droeg zijn verdriet en kwaadheid.

De man ging terug naar waar hij vandaan kwam. Vier jaar lang bleef ze congressen bezoeken over de hele wereld. Ze was een grote naam op haar vakgebied. Hoe moest Adrian weten wanneer er congressen waren en wanneer niet? Hij maakte geen deel uit van het gilde van raadsmannen en -vrouwen dat op de hoogte was van zulke gelegenheden.

Dit zijn de feiten.

Feiten leveren bewijs, meer niet.

Ik moet je iets vertellen: de relatie is voorbij.

Ik dacht dat je zou zeggen dat je bij me wegging.

Zaak gesloten.

Vijftien jaar geleefd sindsdien. In intimiteit en warmte, niet zonder elkaar kunnen leven. Nooit zelfs maar naar een andere man gekeken, zoals dat zo treffend heet, en Adrian wist dat. En hij – hij is de zwaan die trouw is aan zijn vrouwtje; hij had voor zijn huwelijk al bijkomstige liefdes gekend, op een andere manier bijkomstig, namelijk naast de ware die nog moest komen. Slechts één keer was er een opwelling om te spreken, om 'vergeef me' te zeggen: een moment van onberaden zwakheid veroorzaakt door een wankele periode van voorbijgaande aard, die de ouders wel heel dicht bij elkaar bracht – een van de dochters in de problemen, de zoon nooit.

Misschien had het hem verbaasd dat hij eraan herinnerd werd, ermee geconfronteerd; zijn ogen zouden donker van intensiteit zijn geworden, terwijl de woorden weergalmden: ik dacht dat je zou zeggen dat je bij me wegging. En zo hadden ze vijftien goede jaren gehad, alsof dat waar ze vergeving voor vroeg, nooit was gebeurd. Wie had dat mogelijk gemaakt: hij, omdat hij de innerlijke kracht had om het bewijs te aanvaarden; dat zijn woorden weerlegd werden was een voorbestemd teken dat niet in twijfel getrokken mocht worden; ze hoorden bij elkaar. Nu breekt de tijd van het pensioen aan – in die historische continuïteit van hun leven.

Een toestand. Onvoorstelbaar. Omdat haar zoon, die in die historische continuïteit een rol speelt, haar dagen en nachten confronteert met een toestand, van hem, komt er een ongeschreven hoofdstuk bij dat nooit voor mogelijk was gehouden, dat haar nooit zou kunnen gebeuren, net als ze nooit gedacht had dat de zoon gevaar zou uitstralen uit het diepe binnenste van zijn lichaam.

Vergeet zoveel; wat een zegen, zo'n elektronisch notebookgeval als je naar uitvoerige getuigenverklaringen luistert, en wat bizar dat de herinnering aan vier gewiste jaren niet tot zwijgen gebracht kan worden. Hoeveel plaatsen op de kaart waren ontmoetingsplaatsen, en met wat voor meedogenloze gewiekstheid werden die ontmoetingen gearrangeerd; het zien, ruiken en proeven als de lichamen van de twee vreemden elkaar herkenden onder dempende lagen reiskleren in de aankomsthal van vliegvelden, gekooid in het schrille krekelgetsjirp van buitenlands gebrabbel. Op hoeveel hotelbedden neergeploft, nog voor het openmaken van koffers of aktetassen. De telefoon naast het bed, waar valse namen door werden gesproken. Een zelfstandige vrouw die in het hotelregister de identiteit van een gefingeerde mevrouw Zus-en-zo aanneemt. Het mijden van bepaalde restaurants waar iemand hen zou kunnen herkennen, in Londen of Sydney, of een afgelegen oord op een eiland. Het adres van een medeplichtige vriend van de man, een advocatenkantoor waar een brief van thuis p/a heen wordt gestuurd, terwijl de ontvanger die in werkelijkheid doorgestuurd kreeg naar een andere stad, een ander land. Dat allemaal zo levendig, ook de keren dat ze ontspannen samen in bad zaten; hij vond het heerlijk om de intimiteit van elke zeepbeurt en verkenning van het lichaam van de ander uit te wisselen, te eindigen met een heftige neukpartij. Op een avond – Warschau, hij moest pleiten in een geschil tussen Polen en Engelse cliënten – na een heerlijke spijbeldag van sightseeën in Krakow, hoorde ze hoe hij door de telefoon tegen zijn vrouw liefdeswoordjes fluisterde, en beukte uit jaloezie met haar vuisten tegen kussens, een terugval naar de boze kindertijd. Hoe het had kunnen zijn. Een succesvolle advocate van in de veertig, ook al zei de man, met een ander pakket liefkozende woorden, tegen haar dat ze de borsten van een twintigjarige had en dat hij, als hij haar stem aan de telefoon hoorde, een ongelooflijke erectie kreeg, een gigantische stijve. Niet ontkennen hoe hij genoot van haar streling om hem voor te bereiden op een tweede keer, met behulp van de vaardige hand waaraan haar trouwring prijkte. En dan een avond – wat kwam de totaliteit van dit alles wreed en meedogenloos terug – toen hij in de hotelbar zat met een vriend van zijn familie, die niet mocht weten dat zij zich boven in de suite schuilhield, en zij daar alleen lag en haar het koude angstzweet plotseling uitbrak in de zekerheid dat er iets met Adrian was, zag hem voor zich, vermagerd door ziekte en rampspoed, en ze ging overeind zitten en belde naar huis. Op dat tijdstip verwachtte ze hem eigenlijk niet thuis. Maar hij nam op.

'Adrian.'

Haar angstwekkend trillende stem moet het bewijs hebben geleverd: op dat moment was ze bij die man. Het was alweer enkele maanden geleden dat ze voor haar werk op reis was geweest (Lyndsay heeft een rechtszaak in Namibië, je moeder is een week in Toronto).

Vanuit die vreemde stilte van de afstand, waar berichten uit het graf komen, zei hij: 'Je moet me niet meer zo bellen.'

Ze huilde (snotterde als een dom meisje en voelde dat hij hoorde hoe beschamend het was). Toen ze weer kon spreken: 'Doe niet zo.'

Daarna vroeg ze hoe het met de zoon en dochters ging, of de boodschappen, die zij voor haar vertrek had geregeld, op tijd werden bezorgd, en hij gaf de feiten en zei dat hij ging ophangen, op hetzelfde moment dat zij aan een soort verklarend verweer was begonnen – waarvan? Haarzelf? Wat viel er te verklaren? Aan het begin van wat toen alleen het leiden van een dubbelleven leek te zijn, had ze opgemerkt – verklaard? als credo gesteld? –: 'Ik ben geen moederkloek.' Ze kon ervan uitgaan dat hij nog wist dat ze verwees naar een regel van een dichter die ze allebei bewonderden toen ze elkaar voor het eerst ontmoeten. Ergens moet een wortel zijn achtergebleven in de gemeenschappelijke grond van hun verliefdheid.

De man werkte de oude familievriend het hotel uit en kwam terug om haar te omarmen in die suite zonder echo's, noch van wat de kamer zojuist had gehoord, noch van enig ander gepassioneerd, boos, liefdevol verwijtend, verzoenend, triomfantelijk, vruchteloos telefoongesprek tijdens zijn overspelige steun aan het koppelen van gasten met gefingeerde namen. Hij was niet iemand die sporen van emotie opmerkte die hij niet zelf had opgewekt.

Neuronen en synapsen zijn genadeloos in hun vrijgevochten kieskeurigheid. Een secretaresse moet zich namen van cliënten herinneren die misschien nog maar een jaar geleden juridisch advies hadden ingewonnen. Maar in deze zaak, die al vijftien jaar gesloten is, is niets, maar dan ook niets ontoegankelijk, te vermijden, te ontvluchten. Ik moet je iets zeggen.

Het wordt nu allemaal gezegd, alles, geen detail overgeslagen, als feit gepresenteerd door dat zelf aan het feitelijke zelf. Er was eens. Je bleek zwanger te zijn. Om precies te zijn: de timing was zodanig, een korte afwezigheid op een seminar en terugkeer naar huis, dat de onbedoelde conceptie zowel met echtgenoot als minnaar had kunnen plaatsvinden. Geen vrouwelijke paniek, geen van beide mannen op de hoogte gebracht van het (zoveelste) genadeloze opportunisme van de voortplanting. Hoewel abortus illegaal was in die calvinistische tijd van het apartheidsregime, kenden vrouwen altijd verre, kundige maar dure dokters die de simpele handeling wilden verrichten, en het werd tijdig gedaan. Het gezin was compleet: dochters, een unieke zoon, die (werd vaak gezegd) het evenbeeld was van zijn knappe vader; ze had op geen enkele manier een gevoel van leegte, van spijt over de verloren kans een leven te dragen dat, als je het als klompje liet weghalen, een depressie zou veroorzaken, een gemis van iets, zoals Paul een deel van zichzelf, een van de monitoren van het leven, moet missen. Maar nu komt er nog iets anders uit die tijd boven water. Was het de gezellige zwarte verpleegster of de inmiddels gezichtloze dokter die doorvertelde dat het twéé klompjes waren? Twee foetussen wachtend om te groeien in hun menselijke gelijkenis en geboren te worden. Tja, tweelingen erven over via de vrouwelijke lijn; haar moeder had een tweelingzusje. Met een tussenpoos van een paar dagen was de man in haar geweest en was Adrian in haar geweest. Hoewel biologisch niet mogelijk – niet doen, geen wetenschappelijke waarheid eraan toekennen, niet je aansluiten bij de ordinaire sensatiezoekers rond wijlen het schaap Dolly – toch is het een psychische realiteit in de emoties die slingeren tussen bijkomstige liefde en de liefde waar die bij komt. In die onvoorstelbare toestand is de dubbele conceptie een realiteit.

Dit is een fantasie ontsproten uit walging. Walging van jezelf, naar boven komend galsap dat blijkbaar geen invloed had op de vrouw die geen moederkloek was. Die vrij om de wereld vloog. Een man op wie ze reageerde tijdens een deftig diner, net als haar dochter op de geschikte leeftijd op de Braziliaan reageerde als een van de sociale verplichtingen die haar moeders werk met zich meebracht. Die vrouw, wie het ook was, losgemaakt uit de historische continuïteit van haar leven. Waarom voelde ze toen geen walging of schaamte? Waarom nu, nadat ze vijftien jaar de tijd heeft gehad om – dat is de modieus verdoezelende term voor het bekennen van politieke misdaden – te zuiveren en te helen?

Ik moet je iets zeggen.

O, maar niet alles, hoewel dat eigenlijk de voorwaarde is om absolutie te verkrijgen.

Ik dacht dat je zou zeggen dat je bij me wegging.

Waarheid en verzoening. De misdadiger heeft alleen de macht als tegenstander, terwijl het slachtoffer maar moet vergeven en terugkeren naar het normale leven.

Na vijftien jaar is dit eruit gekomen. Dat die vierjarige toestand kunstmatig was behoeft geen betoog. Maar er is iets geamputeerd, weggesneden. Geef het maar toe: vier jaar weggehaald van de tijd dat hij, Adrian, de beminde, op middelbare leeftijd was. Het verlies is nu berekenbaar, nu pas, als hij op het punt staat dat halfleven in te gaan zonder zijn werk als doel. Ook al was het succes daarin niet zijn ambitie. Vier jaar afgepakt van zijn mannelijkheid, het totale liefhebben met heel zijn wezen, wat het liefdesspel voor hem betekende: niet alleen neuken met penis en tong; liefde, met kinderen die uit dit verbond voortkwamen als dwarsstroom, een gezamenlijk leven binnen en tegen de gevaren van de wereld. Vier jaar weggegooid in de afvalbak waar besmette papieren borden terechtkomen. En de man met zijn vernederende prostaatproblemen en somber makende doofheid, die zich weldra in de quarantainekamer zal terugtrekken met de boeken als illustratie van de roeping die hij opgaf (wie weet of hij die ooit had verwezenlijkt), in de quarantainekamer omgebouwd tot die andere gevangenis – pensioen – kan die vier jaar nooit meer terugkrijgen.

Hij spreekt over plannen voor een nieuwe levensfase die zij samen zullen ingaan.

Het goedmaken; hem een toestand in je leven doen vergeten waarvan je niet begrijpt dat die heeft kunnen bestaan – dat is een kinderlijk idee. Je kunt jezelf het onvoorstelbare niet vergeven. Er zit niets anders op dan de aanvaarding die je jezelf vijftien jaar geleden toestond, in het verdere verloop van je leven onder ogen te zien. Kan die vier jaar niet goedmaken – voor jezelf – die jij jezelf hebt afgenomen. Wat gebeurde er tijdens die regressie, toen je je afkeerde van alles wat onmisbaar voor je was? Het ergste van oud worden – negenenvijftig, maar je lijkt negenenveertig – is dat je het niet kunt weten, er niet achter kunt komen. Waarom, hoe heb je zo'n afbreuk kunnen doen aan je zelfgevoel, voor een soort ondoordachte, primitieve bevrediging, als een kind dat gulzig aan een lolly likt?

W ie is daar…
De zoemer van de intercom bij het hek heeft geen antwoord nodig op de vraag wie er binnen wil komen. Het is Thapelo; hij houdt zijn vinger op de monitor als uitbundige begroeting. Ze trekken hun stoel bij in de tuin; zoveel activiteiten waar ze als kleine jongens over fantaseerden, krijgen nu een concreet vervolg binnen de huidige realiteit. Een tafel met bamboepoten is in beslag genomen om plaats te bieden aan de uitgespreide papieren. Thapelo is al weken bezig om bewijzen te verzamelen van geplande acties of besluiten achter gesloten deuren door het ministerie van Grondstoffen en Energie en het ministerie van Milieuzaken, al hun connecties met de industrie, meedingende consortia. Spionagemateriaal. Achtergrond bij rapporten over de veldresearch die Derek en hij samen met Paul uitvoerden, voordat dit, hoe je het ook moet noemen, hem overkwam. Terwijl Paul zijn straf uitzat (het woord 'gevangenis' lijkt niet misplaatst) zijn er andere milieukwesties naar boven gekomen. ' *Yona ke yona*•! Het kan écht niet, zoals die bouwmaatschappijen *khan'da*•!' Deze slangwoorden van zijn moedertalen (hij spreekt er minstens vier of vijf) zijn net zo gewoon in Thapelo's taalgebruik als het wetenschappelijke jargon van zijn vakgebied. Of misschien identificeert hij zich hiermee met zijn leven als zwart straatjongetje, dat hij als maatgevend beschouwt voor wie en wat hij is. Niet waaruit hij is opgeklommen, maar wat hij nooit achter zich heeft gelaten en willen laten.

Dus praat de wetenschapper als een *tsotsi*• wanneer het hem uitkomt. Daar plaagt Paul hem mee, respectvol. Paul vat het samen met woorden die zowel bij zwart als blank hetzelfde zijn: geen gelul bij Thapelo.

Het doel van zijn bezoek is om zijn collega op de hoogte te houden en met hem te overleggen, ongeacht of hem dit officieel is opgedragen door hun werkgever of dat hij dit zelf heeft bedacht. Wat betreft het feit dat hij steeds wordt blootgesteld aan Pauls Tsjernobyl – door de aard van de relatie met de bureaucratie die zij door hun werk hebben, verwerpt hij de controlerende oekazes van gezaghebbers als zijnde een geheime agenda. Pauls toestand komt nooit aan de orde tijdens hun gesprek, hun onderbrekingen van elkaar, gelach, zacht uitgesproken of geschreeuwde woorden. De tuin galmt, weerklinkt van het verleden dat zich daar heeft afgespeeld. Nu gaat het om de kamer waar twee mannen verdiept zijn in het werk dat hun begrip van de wereld en hun positie als handelende personen daarin bepaalt, vanuit het perspectief dat iedereen, of hij wil of niet, of hij het toegeeft of niet, op de een of andere manier de wereld beïnvloedt. Spuit een onkruidverdelger op dit gazon en de hop, die voorzichtig zijn snavel als een kleermakersnaald in het gras steekt, zuigt vergif op. Dat is de filosofie van natuurbehoud van waaruit Paul de belangrijke problemen aanpakt in een conceptnota van samenwerkende milieu-instanties aan de president, die hij tussen de gesprekken door in de tuin aan het schrijven is.

Hoe catastrofaal die geplande pebble-bed reactor mag zijn, een 'nucleair experiment waar je blind op kunt vertrouwen', er zijn ook tragere vormen van projectontwikkeling, in voorbereiding of in uitvoering, die het milieu op langere duur aantasten.

'Dus nu doen de Australiërs mee. *Haai*! Pondoland wordt over de hele wereld als het centrum van endemie gezien, de belangrijkste botanische schat, *n'swebu**, man! De regering wil daar dwars doorheen een nationale tolweg aanleggen, het kapotmaken; ze gaan een Australisch bedrijf de duinen laten opblazen, en ook de kust verwoesten. Dit bedrijf, Transworld Company, zegt dat het daar bronnen heeft ontdekt, zestien miljoen ton zware mineralen en acht miljoen ton ilmeniet. Een van de grootste minerale zanddepots van de wereld. Jezus! Dus dat bedoelen we met het aantrekken van buitenlands kapitaal? Graven op de stranden, terwijl de minister van Toerisme zegt dat de Duitsers, de Japanners en wie niet allemaal hierheen komen vliegen, zo belangrijk zijn voor onze economische toekomst.'

Primrose is binnengekomen met een blad met papieren bekertjes en het vruchtensap dat is voorgeschreven aan degene die zij op afstand verzorgt, zoals bepaald door haar werkgevers. Ze weet niet waar ze haar last moet neerzetten, en Thapelo onderbreekt zijn betoog, pakt de papieren van de tafel, lachend en met haar babbelend in haar taal, die hij tijdens een eerdere ontmoeting hier met haar in de tuin herkende als een van zijn vier of vijf.

'Het aspect waarop wij moeten hameren…'

Thapelo zwaait met zijn bekertje als antwoord op de halve zin van zijn collega. 'De weg en de mijnbouw zijn met elkaar verbonden – op deze manier, *nê*•?' Hij zet het dunne bekertje hard op tafel neer, zodat het sap eroverheen klotst, en slaat met zijn vuist in zijn hand.

Geïnspireerd door dit stukje drama, probeert zijn collega het opnieuw. 'Waar we ons op moeten richten is het gevaar in de breedste zin dat de tolweg met zich meebrengt; pleidooien dat landschappelijk schoon teloorgaat worden in dit soort kwesties afgedaan als soft, als niet meer dan sentimentele bezwaren tegen de vooruitgang.'

'Chef, *lalela*•, ik denk dat je dat verkeerd ziet. Je weet dat onze grootste bron van inkomsten na de mijnbouw het toerisme is. Wie gaat er nou naar een mijn en een snelweg kijken, waar ze er in hun eigen land al genoeg van hebben?'

'Ik heb het over de Amadiba, jongen, die aan de Wild Coast

wonen, vijf dorpen, toch? Richt je op hén. Blijkens het plan dat je me hebt laten zien, gaat die snelweg recht door de huizen en velden van de mensen, recht over hun maïskolven. Hun hoofdvoedsel. Hoe zit het met de Amadiba Tribal Trust? Hun stem moet gehoord worden. En hard ook. Alle remmen los. Breng de traditionele leiders bij elkaar; de regering moet hen horen; je weet dat het nu het beleid is dat de regering voortdurend vragen over landrechten moet beantwoorden.'

'Derek gaat er volgende week heen.'

'En het National Road Agency? Hebben die nog iets nieuws te melden? De cijfers die ze geven voor de werkgelegenheid die hun geweldige snelweg zal creëren – op de korte termijn dan, geven ze dat toe?'

'De regering moet *vuka*·! Wakker worden! Zien wat er gebeurt in naam van de ontwikkeling. In het hele land. Hoe duur is het wel niet om die pebble-bed reactor af te blazen? Als hij dat enorme elektriciteitsnet van stroom gaat voorzien, zoals ze beweren, kan hij maar zo'n veertig jaar in bedrijf zijn…'

De hadeda's, die van het dak op de grond neerstreken, krasten minachtend. Hun vertrouwde metgezel zei kalm: 'En het opslaan van nucleair afval. Waar?'

Thapelo had foto's en stafkaarten meegebracht die hij de vorige keer had vergeten. Ze bogen zich er nu en dan over, waarbij Thapelo voortdurend maling had aan de afstand die zijn vriend van hem betrachtte, zijn wijsvinger steeds terugkerend naar de tolweg, tikkend op een detail, de stapel uitgespreid tussen provisorische verfrissingen, half opgedronken koffie, zoals ze dat in het bos, de wildernis, de woestijn deden. Thapelo had in een zak – waar had ie 't nou – een potloodlang stuk wortel, een verschrompelde dode teen van een mangrove uit het moeras, waar ze nog niet lang geleden onderzoek hadden gedaan, en de halve schaal, roomkleurig met blauwe spikkels, als een scherf Chinees porselein, van een vogel die met uitsterven werd bedreigd. Thapelo had de gewoonte om zonder nadenken zulke kleine tekens te verzamelen tijdens het wandelen. Wanneer hij er was, vormde de tuin een enclave waar ze samen bleven hangen, een wildernis.

Thapelo was weggegaan.

De eierschaal en wortel, daar op tafel.

Hoeveel meer dagen verstrijken er in de tuin.

Er zijn andere ijkpunten dan de tijd bij zijn terugkeer uit deze toestand. Geenszins geruststellend. Niet zonder verwarring. Ja, de artsen hadden hem genezen verklaard. Alleen, na maanden – hoeveel maanden? – een schouderophaling; ergens tussen de drie en zes maanden doen we een scan. Dat is alles. Een vervolgonderzoek uit voorzorg. Het is zeer onwaarschijnlijk, maar soms wordt er in bepaalde gevallen nog een bestraling voorgeschreven.

Maar hoe zit het nu met de straling? Hij is niet meer radioactief. Geen gevaar meer.

Zijn lichaam vertelt hem iets anders.

Hij besluit een week of zo in een soort tussengebied te blijven – tussen het leprozenoord en zijn thuiskomst, onschadelijk voor de familieschoot. Hoe zou Benni deze bescherming van haar en het kind in twijfel kunnen trekken? Hoe zou je kunnen denken dat Adrian en Lyndsay zijn aanwezigheid als een last zijn gaan beschouwen? En hij was nog steeds zwak. Wankel op de benen door gebrek aan spierkracht, lusteloos van vermoeidheid, de bezwering bedoeld om kwaadaardige cellen uit te drijven die in zijn lichaam aan de zwier waren. Hij moest dat lichaam weer leren kennen. De artsen waren zich uiteraard bewust van deze gevolgen, dus werd een masseur geregeld om zijn uitgeputte lijf op te peppen voordat hij zijn ouderlijk huis voor de tweede keer in zijn levenscyclus verliet. Er kwam een man, ongeveer even oud als hij, in de dertig, niet jong, maar ook niet tegen de veertig. De man babbelde vrolijk terwijl hij bezig was, eerst met het lichaam in rugligging, zijn sterke handen koel bij de aanraking, warm als hij over de borst, triceps, biceps, buikstreek ging en dan naar de dijen en kuiten afdaalde. Dan op de buik. Massage van de voeten, dat was het begin; het belang van bijbelse voetenwassingen, een heilig verzorgen van het verste deel van lichamelijk bewustzijn, en het minst emotief. Tenzij je schoenen knellen of een doorn prikt onder je blote voet, ben je je niet bewust van wat jou draagt. Soms, in bed, wrijft de voet van de een even tegen de voet van de ander, maar dat toevallige contact heeft weinig van doen met strelingen van het lichaam. 'Hij kust hun voeten' – een geringschattende verwijzing naar hielenlikkerij. Het vaardige, stevige manipuleren van de voeten vestigt opnieuw, net als op het bestaan van iemand die in de vergetelheid is geraakt, de aandacht op de expressieve beweeglijkheid in de curve van de voetboog en het toetsenbord van tenen; dus dit nam het over, dit kwam in het spel, dit is wat je danste. Wat geschikt was om mee te grijpen als een jongen in de jacaranda klom. Langs kuiten en dijen omhoog; de handen brachten het prettige gevoel van inspanning weer boven, de sensatie van het rennen door dicht struikgewas, strak balanceren over stenen. Toen kwamen de hard-zachte palmen en vingers omhoog langs de buitenkant van de billen, omlaag en omhoog naar de ruggengraat, en aan weerskanten langs die stam en terug, naar beneden. De man stond voorovergebogen toen zijn handen de spierbundels van de bovenrug en schouders bereikten – dat mannelijke attribuut, op de tweede plaats na de uitstalling tussen de benen aan de voorkant – zijn adem raakte net zijn naakte nek. Masseren is zwaar werk, diepe zuchten zijn hoorbaar, hun aanraking is een zachte bries.

Hoe lang geleden sinds hij zo'n tintelend gevoel had met Berenice/Benni? Het zwellen, duwen tegen het weerspannige harde oppervlak waarop hij lag, met zijn gezicht naar beneden. Wat hem had verlaten met de uitstoting van dat onzichtbare licht, dat doodgewone aangeboren verschijnsel waarvan hij zich afvroeg of hij daar ooit nog 's ochtends mee wakker zou worden. Zijn stijve penis, dat andere zelf van een man, in ere hersteld.

Onder de handen van een man.

Nooit een seksuele relatie gehad met een dubbelganger, een replica van zichzelf: zo ziet hij de handeling. Ook geen homofobie; eenieder heeft recht op zijn of haar eigen seksuele instincten. Hij wordt aangetrokken door vrouwen, en hoewel er genoeg bewijzen zijn dat zij zich ook tot hem aangetrokken voelen – dat blijkt uit het flirtgedrag van zelfs de vriendinnen van zijn vrouw – waren mannen dat duidelijk niet. Geen avances van homo's, hoewel zijn werkleven intiem en virtueel is voorbehouden aan zijn eigen sekse.

Nooit aan getwijfeld.

Die twijfel komt nu.

Wat hij nu voelt, moet hij dat beschouwen als de laatste vervreemding van die toestand?

Besloten werd dat hij voor de tweede keer uit huis zou gaan om thuis te komen als volwassene, in een weekend, zodat iedereen vrij zou zijn hem daar te verwelkomen en te installeren.

Besloten door zijn moeder en zijn vrouw, beiden woordvoerders voor die leefgebieden. Hij had nog niet de oude gewoonte opgepakt om praktische beslissingen voor zichzelf te nemen. Zijn straling mocht dan gedoofd zijn, maar na zo lang onder de instructies van anderen te hebben geleefd, kon hij nog geen zonlicht velen, behalve dat in de tuin. In de laatste dagen hield hij vast aan wat sinds de bezoekjes van Thapelo een soort routine was geworden: bracht het grootste deel van de dag door op die werkplek buitenshuis om te werken aan het materiaal dat Thapelo had meegebracht.

Thuiskomen: dat betekent werk aan de winkel. Het project voor die pebble-bed reactor is niet afgeblazen, maar ook nog niet definitief goedgekeurd; zoals altijd valt er een dreigende stilte over internationaal onderzoek naar het bezit van nucleaire capaciteit van bepaalde landen. Het is een verontrustende gedachte: de research moet doorgaan om gebruikt te worden als een zo fel mogelijk protestmiddel om de kwestie actueel te houden.

Het zou kunnen dat hij klaar was om samen met zijn team op een nieuwe veldexpeditie te gaan, die op dat moment werd voorbereid. Als de wildernis hem ontving, wilde hij het voorzichtige oordeel van de oncologen wel geloven dat hij geheel genezen was, dat hij zonder smet of dreiging deel uitmaakte van mensen, dieren, vogels, reptielen, insecten, bomen en planten. Thapelo had voor dit project een berg aan documentatie verzameld, ook bandopnamen waarop gediscussieerd wordt over de haalbaarheid door scheikundig ingenieurs, sociale wetenschappers, en iedereen die zich ook maar enigszins bezighield met milieubeheer, de professionelen samen met de Groenen, Save The Earth, Earthlife Africa, International Rivers Network – elke actiegroep was met naam en toenaam aanwezig.

Een dam. Tien dammen.

Deze keer een conventioneel ontwikkelingsplan. Zo oud als de tijd dat de eerste landbouwkundigen stenen in een rivier rolden om de stroom voor hun eigen profijt af te snijden. Niet het kiezelexperiment voortgekomen uit de dodelijke alchemie met atomen, waardoor space-fiction werkelijkheid kan worden. Maar zoals de kerncentrale de belofte inhoudt om grote gebieden van stroomloze donkerte te doen oplichten, houden de grote dammen de belofte in water te verzamelen om de dorst van de bevolking te lessen en in de waterbehoefte te voorzien van industrieën die hun werk en eten verschaffen.

De Okavango is een inlandse delta in Botswana, het land van woestijnen en moerassen midden in het uitgestrekte gebied van het zuidwesten, zuiden en zuidoosten van Afrika. Zo staat het op de kaart; de natuur erkent geen grenzen. Maar de

ecologie kan dat ook niet. Wat er met de inlandse delta gebeurt, is direct van invloed op de streek. In welke mate?

De stafkaarten, actueel en speculatief tegelijk, laten de natuurlijke gegevens zien, zoals ze nu zijn.

Net van waterwegen in de herinnering vastgelegd, als het
glijden van een smalle boot langs doorgangetjes tussen torenhoge rietkragen, door nijlpaarden gemaakt, hun plaatselijke
straten en lanen. Berenice zat in de boot; niet wat ze met
gepaste bevestiging in haar quasi-nonchalante gelach 'een ma-
cho-woudloperstocht' noemt. Hij dacht indertijd dat hij aardig bekend was met het ecosysteem, had een beetje bijgelezen
om zijn kennis ter plekke op te frissen, zodat ze mee kon delen
in de wildernis die hij gelukkig zo volledig leerde kennen,
terwijl zij alleen haar stadsgebied had. Maar nee – geen album
met vakantiekiekjes als souvenir – een slordige stapel dossiers,
die op de tafel met de bamboepoten in toom gehouden moest
worden met een steen om niet in windvlagen in de tuin te
verwaaien. Hij besefte dat zijn kennis te abstract was, juist
beperkt door zijn professionalisme, dat hij te weinig wist van
de grandeur en verfijning, de kosmische en eindeloze complexiteit van zo'n volmaakt ecosysteem als dit. De Okavango
had nooit op een tekentafel aan een menselijk brein ontsproten
kunnen zijn. Niemand had zijn spontane, zelfontketende
transformaties ooit kunnen bedenken. Die mogen dan ook
niet door religieuze of andere scheppingsmystici als bewijs
worden gebruikt. De vernieuwing van de materie stijgt uit
boven die van elk collectief denken of geloof. Zoals Thapelo
altijd zegt: 'Yona ke yona – cool!' Het vermogen om dit stelsel
te visualiseren, laat staan het uit te voeren als projéct van een
team van briljante hydrologen uit diverse landen is in verhouding even beperkt als dat je het aandeel van de nijlpaarden in
het handhaven van het ecosysteem zou beschouwen als iets wat
begrepen kan worden zonder die door en door degelijke pro-
bleemaanpak binnen het oneindige geheel. De Okavango-

delta in combinatie met een woestijn is een systeem van elementen die vastgehouden, gehandhaafd worden door het fenomeen zelf, op manieren die ongelooflijk, onvoorstelbaar zijn. De Okavango is een oerverschijnsel, zo immens dat astronauten het kunnen zien vanuit de ruimte. Deze opwindende gedachte moet bevestigd worden – hij moet de tuin van afzondering verlaten en naar binnen gaan om Thapelo te bellen.

Waar moet je beginnen om greep te krijgen op iets wat we alleen in IT-taal kunnen uitdrukken? Ecosysteem. Hoe beslis je waar het begint? Het bekende punt waarop we het ontstaan ervan kunnen begrijpen is, laten we zeggen, waar de rivieren en stromen samenkomen en de patronen van hun stroming – die samenvloeien, botsen – eilandjes vormen uit het zand dat ze met zich meevoeren, landschappen in het waterschap. Er groeien bomen. Waar komen de zaden vandaan om ze te bevruchten; voert het water oude wortels mee die nieuwe vaste grond vinden? Door de boomsoorten te determineren kom je te weten van waar en van hoever ze over water zijn gekomen. Wat een verre reizen! Ze hebben zand gebracht dat tijdens het vervoer is uitgeloogd: zout. Zeshonderdzestig ton per jaar! Zoveel! In die kalme delta, slechts verstoord door de nijlpaarden en krokodillen, is de verdamping in een gebied dat grenst aan een woestijn extreem hoog. Het zoutgehalte neemt toe. Besmettingsprobleem, *ay. Yebo*! Maar nee. Beheerst door de materie zelf. Bomen zuigen het water op naar de eilanden om te kunnen groeien. Zout gaat mee. Het zand filtert het brakke water; schoon water stroomt terug, houdt vissen in leven en de jagers op vissen, de krokodillen, nijlpaarden, visarenden.

'*Cho*'! *Ayeye*'! Je vergeet iets, chef. Heb je het niet gelezen? Uiteindelijk doodt het zout de bomen; er is niets meer om het eiland vast te houden, het valt uit elkaar, terug in het water.'

'Ja, maar er wordt veen gevormd, en in de volgende regentijd stromen de rivieren weer omlaag.'

'Van Angola naar...'

'Het zand blokkeert stroompjes in het riet en de papyrus, er vormen zich weer eilandjes, er ontspruiten weer loten. Zo gaat het al wie weet hoe lang.'

'*Tuka*•! Het zout? Waar is het zout gebleven?'

'Precies, we weten niet hoe het zout beheerst wordt. Maar het gebéúrt. Waarschijnlijk sijpelt het naar beneden door ondergrondse rivieren waarin het steeds verder verdund wordt, zodat het in aanvaardbare concentraties wordt verspreid door alle andere delen van het gebied, die bij het systeem van het hele zuidelijke continent horen. Wij drinken dat water! Daar moeten we aan werken, hoe de balans tussen positief en negatief in de Okavango kan worden bereikt.'

'En jij denkt dat ze hun plan om die dammen te bouwen dan zullen opgeven? *Eish*•!'

'Jongen, die dammen doen alles teniet. Dat schitterend beheerste evenwicht zal totaal verwoest worden. Voor altijd. Dat zou je een naam moeten geven. Rampspoedontwikkelaars, naamloze verwoesting. We kampen met een chronisch gebrek aan water, maar ze begrijpen maar niet dat dit – nou ja, fenomeen, wonder, veel, veel meer dan dat – dat deze intelligente materie dat spul ontvangt, opslaat, produceert en ten slotte God mag weten hoe ver distribueert, gekoppeld is aan andere systemen. Als jij en ik nu beslissen hoe het begint, hoe het werkt, dan nog heeft het geen einde, geen damwanden; het leeft. En zo'n kloteconsortium gaat dan iets draineren, blokkeren en doden wat ons zomaar, onvoorwaardelijk geschónken is.'

Met een schaterlach toont de collega zijn vreugde omdat hij hoort dat een man hersteld is, althans dat lijkt te zijn, en niet langer de zielige imitator van zichzelf is die hij in de tuin aantrof.

'*Phambili*•!' Klasse! We zullen ze een poepie laten ruiken! *Woza*•!'

Voor altijd.

De hoorn neergelegd, het gelach verstomd. Adrenaline die (net als dat andere lichaamssignaal) al zo lang niet meer omhoog was gekomen, zakt af tot normaal niveau. Nog steeds in gesprek – met Thapelo of zichzelf – komt er langzaam een soort derde stem binnen die absoluut gehoord wil worden. Volgt hem de tuin in. Dan terug naar de telefoon; staart het zwijgende toestel hem aan, of wordt het aangestaard, zonder te zien. Maar de hoorn wordt niet opgepakt. Er zijn gebieden in de geest die niet bedoeld zijn om gedeeld te worden; ze trekken algemeen aanvaarde zekerheden in twijfel. Geen van jullie zou kunnen doorgaan met wat je doet, wat je bent, zonder die gedachten.

Voor altijd.

Hoe lang is voor altijd? Hoe oud is de delta, die deel uitmaakt van de kosmos, zichtbaar vanuit de ruimte? Astronauten doen er verslag van. Zullen tien dammen te zien zijn, ter grootte van vijvers, zoals alle door de mens gemaakte krassen en groeven, vergeleken met het eigen ontwerp van de planeet?

Misschien zien we de ramp wel, maar leven we niet lang genoeg, kunnen dat niet (we spreken nu over eeuwen) om de overlevingstactiek te zien die de Materie met haar oneindige vernieuwingsdrift heeft gevonden, vindt, zal vinden om haar principe – het leven – te vernieuwen, om nieuwe vormen te scheppen van wat wij als voorgoed verdwenen beschouwen. Over duizenden jaren gezien, wat maakt het uit dat de witte neushoorn is uitgestorven, dat de dinosaurus is uitgestorven, de mastodont, de mammoet, terwijl we immers het vernuftige geëvolueerde ontwerp van de giraffe hebben, van de olifant met zijn massieve lichaam en rudimentaire zwemvliezen tussen de tenen die ons aan de vis doet herinneren? De eerste vis die zich uit het amniotisch vocht sleepte.

Dus wat is dit, dat hij denkt... Ketterij: hoe kan iemand daartoe vervallen, iemand die, als hem gevraagd wordt 'En wat doet u?', antwoordt: 'Wat doe ik, ik ben milieubeschermer, ik ben een van de nieuwe missionarissen hier, niet om zieltjes te redden, maar om de aarde te redden.'

Deze ketterij komt voort uit de tuin, net als het Kwaad – evenals die andere gedachten die in de tuin zijn ontstaan en die vergeten moeten worden – hij hoort bij deze toestand die op het punt staat te verdwijnen. Wat 'voor altijd' ook betekent – onherroepelijk verloren of eeuwig voortdurend – hijzelf is in die tuin deel van de complexiteit, van de noodzaak. Zoals een spinnenweb het meest broze voorbeeld is van een structuur, en de delta de grootste. Thuiskomen: dat is zijn lus in de draad van het spinnenweb naar het Okavango-systeem. Benni/Berenice, klein jongetje, Papa! Paul! alle waterwegen en al het verschuivende zand zijn eilanden van tegenstrijdigheid: een voorwaarde voor het leven. Net als een andere ketterij, weten waar hij vóór deze toestand vandaan kwam, en dat de verhoudingen in dat huis – waarin hij zou terugkeren als hij het overleefde – anders waren dan hij ze had kunnen hebben; dat weet hij. Twijfel had hem bevangen in de tuin waar hij als jongen het leven was begonnen te begrijpen. Biodiversiteit. Chef, zeg tegen jezelf: vakjargon. Maar jouw plek ligt binnen die term. Chef, zeg het: ik ga dit weekend naar huis. Altijd blijkt het zelf zijn toevlucht te nemen tot de terminologie van de oordeelloze wildernis, om de balsem van berusting aan te dragen. De onontkoombare schoonheid, de vreugde een microkosmos te zijn in het wonder van de macrokosmos.

Twijfel hoort erbij; het zoutgehalte.

Daar staan ze, bij het hek. Berenice – maar hij moet het anders zeggen: nu weer Benni – en de kleine jongen, Nicholas, zijn zoon.

Lyndsay en Adrian vormen zijn entourage als hij uit het ouderlijk huis tevoorschijn komt, met Primrose die hem helpt een paar spullen te dragen – mappen met papieren die hij onlangs heeft verzameld – die niet meer passen in de koffer die

Adrian met alle geweld wil dragen. (De ziekenhuistas heeft Lyndsay heimelijk weggegooid.) Ze roepen naar elkaar over de hele oprit heen, alsof die de tijdsduur van hun scheiding aangeeft. Zelfs Primrose, met haar ouderwetse gedienstigheid, haar normbesef van vóór de bevrijding dat je wel familiair mag zijn tegen blanke kinderen, maar niet tegen volwassenen, riep vrolijk naar het kind: 'Dus nu kom je gauw weer met me spelen, net als vroeger, Nickie!' Maar er is natuurlijk niets gewoons aan deze nadering van het hek. Nu is het Benni die zich aan de tralies vastklampt, haar armen omhoog. Lachend en plagend – alsof hij aangemoedigd moet worden! Hij stelt haar niet teleur, blijkt de spierkracht, de coördinatie bijeen te kunnen rapen.

Zij – Benni – ziet de lange benen op zich afkomen die bij de knieën naar buiten wijken, de armen die als roeiriemen uit-zwaaien, de struikelende tred, als van een kind dat net heeft geleerd te rennen.

Toen hij bij het hek was, gleed het via de elektronische afstandsbediening in Adrians hand open, zodat Benni's gezicht in close-up bij hem werd gebracht, terwijl haar armen zich om zijn lichaam klemden. Ze lachte; door de lens van haar tranen werden haar ogen groter. Ze pakte zijn hoofd en nam zijn lippen, zijn mond in die van haar, alsof ze iets wat ze zo lang had gemist in één lange teug opzoog. Maar toen hij door zijn knieën zakte voor het jongetje, staarde zijn zoon hem even aan, draaide zich om en verborg zich achter zijn moeder. Het was niet vergeten, vingers die van de tralies van het hek losgewrikt werden, 'Papa! Paul!', de smeekbede waar wreed aan werd voorbijgegaan. Nerveus, beschaamd probeerde zijn moeder hem naar voren te duwen; hij wurmde zich los, verstopte zich snel weer achter haar.

Het was duidelijk: zijn zoon had onder de toestand geleden, net als hij.

'Nee, laat hem maar, maakt niet uit. Geef hem de tijd.'

3

Zo gaat het

Succes kan soms gedefinieerd worden als uitgestelde ramp-spoed. Onder voorbehoud. Kan niet anders. De bouw van de pebble-bed reactor is niet door de projectontwikkelaars opgegeven, maar het hele plan is niet verder gekomen dan de stelling dat het zo veilig is dat 'je er blind op kunt vertrouwen'. Intussen was daar de andere ervaring met het fenomeen van deze kleine natuurformaties, doordat een echtpaar weer de gewoonte oppakte om met hun kind gezellig een weekje te gaan peddelen en poedelen aan het strand. Papa! Paul! laat hem zien hoe je de kleuren van het land en de zee kunt verzamelen in de glimmende kiezels, waar likkende golfjes overheen kabbelen.

De grootste dreiging binnen de collectieve angst in de wereld – afgezien van terrorisme, zelfmoordaanslagen, het verspreiden van dodelijke virussen, moordende chemische stoffen in onschuldige postpakketjes en gekkekoeienziekte, is nog steeds 'nucleaire capaciteit'. Weer zo'n valkuil: het bezit in de vorm van natuurlijke rijkdommen van bepaalde grondstoffen in een land, en het vermogen die te ontginnen en te bewerken voor eigen kernbewapening of te verkopen voor de bewapening van andere landen; het bouwen van een kerncentrale; het testen van een kernwapen. Mogelijk voorspel van de apocalyps door middel van wat wij 'massavernietigingswapens' noemen. De geplande reactor, gebaseerd op het onschuldige kiezelsteentje dat een kleine jongen van het strand mee naar huis neemt, is een component in de wapenproductie dat zeker niet over het hoofd zal worden gezien in het onderzoek naar nucleaire faciliteiten waar de hele wereld nu zo gespitst op is, ver hiervandaan, maar misschien ook weer niet zó ver: de supermogendheid met een vinger in elke pap, de vs, weigert immers het nucleaire non-proliferatieverdrag te ondertekenen. Thapelo komt een weekend onverwachts langs onder het voorwendsel: gewoon even kijken hoe het is (ze werken door de week weer samen op de kantoren van hun organisatie), maar in werkelijkheid om een analyse te maken van Kadhafi's plotselinge besluit om aan te kondigen dat Libië afstand doet van zijn nucleaire capaciteit.

Gooi het eruit. Biecht alles maar op, jongen. *Haai*, ma-an!

Geen van beiden ziet iets geheimzinnigs in dit besluit. Ze lachen om de 'verbazing' in de krantenkoppen. Kadhafi wil geen Amerikaanse pottenkijkers zoals in Irak, of hij wil dat het embargo, opgelegd nadat zijn landgenoten een passagiersvliegtuig hadden opgeblazen, wordt opgeheven zodat hij zijn olie kan verkopen. Of allebei.

Maar onder het gelach hebben de vrienden nu enige hoop dat er een voorbeeld is gesteld – wereldwijd met open armen ontvangen – waardoor de bouw van de kerncentrale voorgoed wordt afgeblazen omdat de regering een hoogstaand moreel standpunt gaat innemen of, beter nog, dat standpunt handhaaft, omdat Zuid-Afrika een van de medeondertekenaars is van het non-proliferatieverdrag. Collega's van Paul komen op de een of andere manier weinig bij hen over de vloer, in tegenstelling tot die van Berenice/Benni, dus beschouwt zij het gezellige zondagse bezoek van deze collega als onderdeel van Pauls terugkeer naar zijn gewone leven en neemt de gelegenheid te baat om deze kennelijk speciale vriend van hem voor de lunch uit te nodigen.

Het geanimeerde gesprek wordt vervolgd. Andere opgeschorte projecten waar in het geheim aan wordt gewerkt zijn de nationale tolweg dwars door de Wild Coast, die prachtige botanische schat aan inheemse planten en dieren, land waar de bevolking van leeft, de mijnconcessie voor de zandduinen, en de dammen. De tien dammen. De Okavango. Zoals astronauten vanuit de ruimte de schoonheid van dit kosmische geheel van waterwegen ervaren, zo is zijn bestaan als ecologisch wereldwonder voor internationale milieuorganisaties vanuit hun aardse perspectief duidelijk geworden. Paul heeft, sinds hij weer is gaan werken, van zijn team de taak toegewezen gekregen om het gebied te onderzoeken en een studie voor te bereiden. Hij moet de vertegenwoordigers van Save The Earth en het International Rivers Network opvangen die met eigen ogen komen bekijken wat vanuit het aardse perspectief beschouwd kan worden als een gebied dat van belang is voor de wereldecologie en dat doelbewust vernietigd dreigt te worden.

Hij is terug geweest. Terug naar huis: een wildernis. Om deze mensen, exponenten van internationale bezorgdheid, te vergezellen. Hij werd een compleet nieuw mens tijdens het kijken, luisteren, het opslaan van hun reacties op de sublieme schoonheid van de waterwereld, die zelfs de mysteries van de verbeelding, het onderbewuste, niet zouden kunnen oproepen. Hij kon het vertrouwen dat hij in zijn stralende afzondering had gehad dat hij zichzelf weer zou terugvinden als hij naar de wildernis terugkeerde, nu een plek geven en hoefde er zelfs niet meer aan te denken.

Een van de aanwezige vrouwen – vaak wetenschappers, die eruitzien alsof ze nooit kind zijn geweest en hun leven lang leeftijdloos blijven – zei iets terloops, eerder tegen hem dan tegen haar collega's: 'Zo'n randverschijnsel, ondergewaardeerd, ver weg van alles... tja... vergeten.' En iemand anders uit de groep, een man, zei zachtjes in het langzaam dovende licht van de vroege avond: 'Je voelt...'

Luisterend naar deze schijnbaar algemene reactie op de overweldigende pracht achter de kimmen, zegt hij niet: Nee, je moet het kunnen verdragen om hier te zijn, een bedreigend deel ervan. De kwade genius ervan: ondernemingszin uit Australië, particuliere en staatshybris in Afrika.

Hoe is het nou, informeert een vriendin op het bureau voorzichtig nadat ze de tekst voor een campagne van een cosmeticamerk heeft gepresenteerd. Bedoelt ze: is je man weer helemaal genezen? Of vraagt ze onbewust: is hij weer de oude? Berenice vat de aarzelende, goedbedoelde vraag in de tweede, onuitgesproken zin op.

Benni is uitzonderlijk lief en zorgzaam en attent voor Paul, zoals normaal is, zou zijn, met iemand die ernstig ziek is geweest. Of liever: die uit een soort levensbedreigende ervaring is teruggekeerd, wat voor soort ook. Gijzeling, neergestort vliegtuig, aardbeving. Dat van hem was geen gewone ziekte; ze komt steeds meer te weten, dag na dag, nacht na nacht, in onrustige zelfwaarnemingen. Vrijen is zeker de ultieme bekrachtiging van liefhebben; door de gretige, gulle respons die hij moet ervaren als hij haar lichaam binnen gaat, zal hij zichzelf weer vinden. Zoals vroeger. Ze vrijen vaker dan ooit. Zij moet met schaamte bekennen dat ze heel diep de angst koestert dat wat in haar naar binnen gaat, wat omhuld wordt door haar donkere, omklemmende kanaal, toch nog vreemd licht in zich draagt. Ontkenning van die angst maakt dat zij degene is die begint met liefkozingen als hij dat heeft nagelaten, die haar hand op zijn penis legt als hij al half in slaap is. Mettertijd wordt de beschamende angst weggevaagd door intens genot en de verwachting dat steeds opnieuw te zullen ervaren. Deze man, die bij haar is teruggekomen, wie hij ook is, vrijt met haar – hoe moest ze dat uitleggen, misschien maar beter niet over nadenken – alsof elke keer de laatste keer van zijn leven is. Dus hij is zeker wel gelukkig? In haar werk wordt bevrediging, in welke vorm dan ook, wijselijk gedefinieerd als geluk, mensen over te halen om een nieuw model auto of tickets voor een luxe cruise te kopen is voorzien in de behoefte om gelukkig te zijn. Hij is nooit erg sociaal geweest, in tegenstelling tot haar, gezelligheidsdier, dol op aandacht en gezelschap; dat tegenpolen elkaar aantrekken – welbekend – daar is hun huwelijk een bewijs van. Toch denkt ze dat wat hem is overkomen misschien betekent dat hij nu instinctief contact met anderen zoekt, niet beperkt tot zijn trouwe makkers in de leegte van de wildernis; tot leven gekomen in het bonte gezelschap vrienden en stimulerende drukte van levendige kennissen waar zij en veel andere intelligente mensen – want dat zijn ze – van genieten. Om dit de schijn van gewoonheid te geven nodigt ze die tamelijk charmante makker van hem, Thapelo – cool! – die niet eens bang was om hem te bezoeken in zijn onaanraakbare quarantaine – uit op borrels en sporadische diners met een mix van collega's en zelfs klanten, onder wie zeer interessante lui uit bepaalde vakgebieden die zeker voor iedereen boeiend waren. Paul is, behalve in bed, natuurlijk alleen maar intiem met hun zoontje; hij leest Nickie voor op de momenten dat zij hem tijdens zijn afwezigheid voor de televisie zette om naar kinderprogramma's te kijken, hij maakt dingen met hem van fruitdozen, doet mee aan de spelletjes wanneer er vriendjes komen spelen. De jonge moeders kijken het aan en zeggen dat ze maar boft; die man is zo'n geweldige vader. Tussen veldexpedities in gaat hij in zijn eentje naar het lab om zijn bloed te laten nakijken. Zij wacht het juiste moment af om hem te vragen of alles goed is. Hij antwoordt dat de artsen zeggen van wel.

En jij? En jij?

Maar dan, net als de angst, komt het ongevraagd bij haar naar boven, het plotselinge besef dat hij persoonlijk geen verantwoording tegenover haar hoeft af te leggen. Dat hij dat heeft besloten.

Dus zo staan de zaken.

Ze vieren Kerstmis zonder de ouders. Die zijn weg, op uitgestelde vakantie. Dat betekent dat er geen mensen zijn die aan de quarantaine doen herinneren. Het is een echte kerst, met lichtjes in de boom en de gretige opwinding van het kind, een feest als dat van ieder ander gezin; en dan is er oudejaarsavond, besprenkeld met champagne van een drankwinkelketen waar Berenice reclame voor maakt; een jaar dat de huisvader dus nog mag meemaken.

Adrian en Lyndsay hebben niet de tocht naar de ijskoude noordelijke streken gemaakt, die hij als een voorbeeld beschouwde van de nieuwe kansen die het pensioen bood. Ze zijn in Mexico. Ook een nooit eerder ondernomen avontuur. Lyndsay was verrukt over zijn verandering van continent en klimaat. 'Mijn huid is te dun voor onder nul!' Hun reisroute door Mexico van de late herfst tot winter was als de winter thuis op het Highveld*: koude nachten en heerlijk warme dagen. Het is geen georganiseerde reis waarbij de deelnemers als een kudde schapen bijeengedreven worden; maar aangezien geen van beiden Spaans spreekt of verstaat, bleek meteen de eerste dag al dat het handig zou zijn om een Engelssprekend iemand uit de streek erbij te hebben om volledig te kunnen genieten van wat je ziet als je op eigen gelegenheid naar de bezienswaardigheden bent gekomen, in plaats van de hele tijd met je neus in het armoedige proza van een reisgids te zitten. De kruier van hun hotel in Mexico Stad had een gesprekje – privé, omdat het in het Spaans werd gevoerd – met de portier, tikte iets in op zijn computer en kwam met een naam en telefoonnummer. Deze is voor u. Zeer prima. Hij zocht in zijn geheugen naar een persoonlijkheid die beroemd genoeg was om hierbij als getuige te dienen, en herinnerde zich, of verzon dat de Vrouw van de Amerikaanse President een keer met haar op stap was geweest. De aanbevolen gids bleek verrassend maar prettig genoeg een Scandinavische te zijn; haar heldere Engels door de telefoon, waarin zij de t en d aan het eind van een woord nadrukkelijk uitsprak, ging gepaard aan een even heldere kennis van de geschiedenis – van de archeologie, architectuur, cultuur en politiek – van elke plek en zijn bezienswaardigheden; wat er aan hun voeten lag aan paleizen, musea, kolossale fragmenten en zeer verfijnde sieraden, alles uit het verre verleden.

Ze bracht hen in haar Volvo naar Cuernavaca en Guadala-jara, om onder de muurschilderingen van Orozco te staan (op ansichtkaarten naar hun twee dochters en hun zoon schreef Lyndsay dat ze, toen ze als stagiaire werkzaam was op een advocatenkantoor, van haar eerste loon als weekendserveerster een goedkope reproductie van het meisje met de witte arons-kelken had gekocht). Ze beklommen de piramiden zonder al te veel buiten adem te raken, legden aan de bewonderende Noorse uit dat dat kwam doordat ze uit een hooggelegen stad kwamen en gewend waren aan ijle lucht. De gids verwonderde zich over alles, over het verschijnsel leven zelf, onstuitbaar glimlachend, een soort welbehagen, zelfs van opzij te zien door wie er (om beurten) naast haar zat tijdens het rijden. Ze was volslank, maar niet de geijkte Scandinavische blondine met blauwe ogen; nonchalant krullend zwart haar waaide op in de wind of viel in dartele lokken over haar roze voorhoofd. Blijk-baar was glimlachen de natuurlijke stand van haar gezicht, ook als ze niet praatte of naar iemand anders luisterde. Iemand met een opgeruimd karakter, van nature, merkte Lyndsay op toen ze samen met Adrian de ervaringen van de tweede dag met hun onverwachte vondst bespraken. Zou kunnen, zei Adrian. Maar de professionele archaïsche glimlach hoort natuurlijk wel tot het arsenaal van de toeristische gids. Maar goed, ze was prettig gezelschap, uiterst nuttig voor hun onderneming. Ze was ook werelds, intelligent genoeg om iets te willen horen over hun eigen land, hoe het veranderd was sinds het einde van de apartheid (ze sprak het woord juist uit) – maar Noren, mensen uit veilige, stabiele contreien tonen altijd belangstelling, een bezorgdheid, voortkomend uit hun tegengestelde voorspoed wellicht, voor grote landen met grote conflicten. Beiden moe-ten zich gedurende deze fijne avontuurlijke dagen vluchtig hebben afgevraagd hoe dat Scandinavische meisje gids in Mexico was geworden. Alleen omdat ze vloeiend Spaans en

Engels sprak? Maar geen van beiden wilde door de persoonlijke geschiedenis van een vreemde afgeleid worden van de boeiende verhalen over diepgaande medische kennis in een verloren gegane beschaving, met instrumenten in een glazen vitrine als bewijs, en de replica van de hoog uitwaaierende, smaragdgroene veren hoofdtooi, even verheven als de man die hem had mogen dragen. Deze spectaculaire stukken bevonden zich op de vindplaats, de plek waar ze het meest over te spreken waren van alle plekken, beroemd of soms onbekend, maar niet voor hun kalme, ervaren Noorse, en waar ze steeds naar terugkeerden. Het was het Antropologisch Museum in Mexico Stad, met een verkeerde naam, ontdekten ze meteen, vanwege de danteske reis langs niet alleen de ontwikkeling van de mens, maar verder naar een ongeëvenaard niveau van bepaalde vaardigheden.

'En hybris.'

Opmerking van Adrian, terwijl Lyndsay zijn hand pakte als bevestiging van wat ze samen ervoeren.

Toen liepen ze langs de gevederde slang van Teotihuacán, niet opgerold, grijsgroen. Ze hadden zoveel kleuren en texturen gezien, gehouwen uit de miljoenen jaar oude rotsformaties en getransformeerd tot een andere, menselijke versie van de schepping. 'Jadeïet?' opperde Adrian, en hij werd vriendelijk verbeterd door hun gids. 'Polychroom. Dit is een model op schaal van het origineel, te groot om te vervoeren, zesde tot achtste eeuw voor Christus.' Hun aandacht werd afgeleid door een reusachtige Maya adelaar boven hen, onmiskenbaar van steen, met dreigend opengesperde snavel. Toen ze voor het eten op hun hotelbed uitrustten, zei Lyndsay dat ze door de indrukwekkende, kolossale beelden, overblijfselen uit een hoge beschaving die Cortés en zijn opvolgers omverwierpen, samen met Adrians 'en hybris' plotseling een flashback kreeg van het vliegtuig dat zich in de tweede toren van het World Trade Center boorde.

Adrian, doezelig: 'Natuurlijk begrijpen we het heden een beetje beter als we het verleden kennen.'

Natuurlijk: Adrian, gemiste roeping in archeologie.

Allebei waren ze lang blijven staan voor een onweerstaanbaar en vreemd onrustbarend bioscoopgroot scherm met naast elkaar geplaatste beelden, als een serie vergrote paspoortfoto's. Maar de beelden waren niet statisch, niet gefixeerd. Elk bestond uit een schedel die steeds per beeldje veranderde, de knipoog van de camera die tijd heet, waarbij de botstructuur veranderde, hoeken en accenten langzaam oplosten en opnieuw gegroepeerd werden. Daarna werd alles met huid bedekt, neus gevormd, omtrekken van de neusgaten en mond vastgelegd. Dan, knip-knip – uit een algemeen menselijk gezicht kwam een herkenbaar gezicht: Aziatisch, blank, negroïde, de ronde ogen, de mongolenplooien, de gebogen neus, de schijnbaar kneedbare, brede platte variant, de zachte, naar buiten gekeerde lippen, de rechte dunne streep waaruit weer andere lippen bestaan.

Paspoortfoto's van niet alleen je eigen voorouders herleid tot een gemeenschappelijk botontwerp. Lyndsay riep luidkeels, ook al waren er andere toeristen bij: 'Het is een soort DNA!' En zo bleven ze staan, als vastgenageld aan het tentoongestelde, rustiger nu, terwijl ze elkaar vol pret dingen aanwezen, als jonge kinderen die elkaar geheimpjes vertellen: moet je zien hoeveel die op dingetje lijkt; daar blijkt duidelijk uit dat dingetje Japans bloed heeft. En wij dan, hè? Allebei geboren uit het West-Europese type dat al twee of drie generaties in Afrika woont. Is het dan niet waarschijnlijk dat er mutaties optreden, details in gelaatstrekken of huid die er blijk van geven dat er ergens zwart bloed in gekomen is, niet alleen de evolutionaire invloed van klimaat en voedingspatronen. En het naast elkaar leven van andere rassen, Maleisiërs, Indiërs, Chinezen, allemaal generaties her naar Afrika gekomen. Ze moeten nog eens goed naar elkaars gezicht kijken in de naaktheid van een gedeelde badkamer, wanneer hij blootgesteld is, pas geschoren, en de crème van haar publieke gezicht is gehaald. De gids staat er glimlachend bij. Ze moet het al talloze malen eerder hebben gezien. Toch is zijzelf niet meteen herkenbaar als het Scandinavische type. Gemengde exotische verstoringen, geen zuivere lijn – hoe zit het met de vikingen? Hun avonturen? Grote wereldreizigers, misschien hebben hun ontmoetingen het voorouderlijke bloed gemengd. Lyndsay is zo gegrepen door het onderwerp, dat Adrian tegen haar zegt – vergetend wat zij vroeger vaak tegen hem zei: 'Jij had een prima advocaat kunnen worden' – 'Jij had een prima antropoloog kunnen worden.' In ieder geval als beroep, net als de archeologie, hoewel het recht zowel roeping als beroep voor haar was. Ze lachten mee met de glimlachende toeschouwster. Tijdens de lunch in een Chinees restaurant aanbevolen door hun gids (iets wat je in Mexico niet zou verwachten, net als haarzelf) waar Adrian haar op trakteerde, zei ze op haar speciale manier van praten, waarbij ze haar zachte volle hals strekte en haar hoofd een beetje schuin achterover hield, dat zij de meest enthousiaste mensen waren die ze sinds jaren had rondgeleid. Een compliment is altijd prettig. Ze hieven hun glazen Chinees bier op haar deskundigheid en tact.

Lyndsay had een belangrijke zaak in het verschiet, zo'n zaak die voortkomt uit een regeringsonderzoek naar corruptie onder overheidsambtenaren, hooggeplaatste politici en wat algemeen 'de private sector' wordt genoemd, waar kabinetsleden deel van uitmaken – aandeelhouders in de bedrijven van hun neven en aangetrouwde familieleden. Ze moest terug naar huis om samen met haar partners de verdediging voor te bereiden van een van de beklaagden. Adrian wist wel dat hij haar beter niet kon vragen of ze echt geloofde dat de man onschuldig was. Maar hij vond het volkomen onnodig dat ze zou teruggaan, nu ze zo genoot van hun nieuwe avontuur. Waarom konden haar partners niet één keer zonder haar? Waar had ze anders partners voor, als ze niet voor haar konden invallen, zij, die al jaren zo hard en onbaatzuchtig had gewerkt? Hij noemde maar niet de verlofdagen die ze had opgenomen vanwege veelvuldige bezoeken aan het buitenland, al die jaren geleden. Al zo lang geleden.

Dit was geen congres, dit was een moreel belangrijke kwestie voor de regering van hun land! Híj zat in de voorbereidende fase van zijn pensioen; besefte hij niet dat hij eindelijk vrij was? Vrij om eindelijk eens zijn roeping te volgen in een land met archeologische opgravingen anders dan de Makapansgat Grotten of de vindplaats waar mevrouw Ples, die later een meneer bleek te zijn, al miljoenen jaren begraven lag. De Noorse, die ze behoorlijk plooibaar vonden, kon hem meenemen naar vindplaatsen, als hij nog een paar weken bleef.

'Maar jij dan?'

'Ik ben een grote meid… Je zou me toch weinig zien: de zaak komt voor in Bloemfontein.'

Ze vreeën in de nacht voordat ze wegging. Toen ze zich omdraaiden om te gaan slapen, zei ze, terwijl ze een kort moment haar emotie niet in bedwang kon houden – God mag weten waarom, want haar woorden pasten bij hun plannen over het pensioen: 'Dit wordt waarschijnlijk mijn laatste grote zaak; hij zal wel lopen tot het eind, het eind van het jaar.' Alsof ze door dat te zeggen een besluit nam. Het Mexicaanse avontuur was nog maar het eerste in een lange rij, samen vrij.

Benni wist uit haar Berenice-ervaringen in de pr van de reclamewereld dat zwarte zakenmannen doorgaans hun vrouw thuis lieten als ze naar cocktailparty's gingen, en zelfs ook bij officiële diners, waar bestek en glazen door een bediende werden weggehaald van de onbezette plek naast hen in de tafelschikking, wat bij een etentje bij iemand thuis werd opgelost door op te schuiven. Een zwarte ondernemer nam soms een mooie vriendin mee, als bijkomstigheid, alleen bekendgemaakt bij haar voornaam, nauwelijks voorgesteld, omdat algemeen werd begrepen dat ze er eigenlijk niet was.

Toen brak het moment aan dat Paul met zijn team van zwarte en blanke medewerkers terugging naar de wildernis – en je verbeet je of je dacht er niet over na: hij leek weer helemaal op krachten te zijn gekomen en de ontberingen te kunnen doorstaan. De andere factor was de relatie met hun kind. (Haar vriendinnen die opmerkten: Wat een goeie vader, jij boft maar.) Het was zo normaal, familieachtig – na alles wat er gebeurd was – hij had nooit laten blijken dat hij hen miste, de momenten dat ze op afstand van elkaar zaten, tegenover elkaar in de quarantainetuin, de jeugd van de volwassen man, het verleden. Was het niet een van haar verplichtingen om weer leven in hem te brengen, om kinderen en vrouwen van zijn Thapelo's, niet alleen zijn ecologische maatjes, bij hen thuis uit te nodigen als natuurlijke uiting van wat het gewone leven inhoudt, nu iemands huidskleur dat niet meer bepaalt? Dus niet alleen hém in de oude staat terugbrengen; ze heeft het onberedeneerde gevoel dat het leven nooit meer hetzelfde zal worden. Iets wat de nieuwe man nodig heeft om een nieuw soort relatie in te brengen in de oude (achtergelaten in de tuin) die ermee door kon – de aantrekkingskracht tussen tegengestelde dingen. Zaterdagse *braai*• op het terras lijkt een mooie gelegenheid om Derek en Thapelo uit te nodigen, met het nadrukkelijke verzoek om vrouw en kinderen mee te nemen. De mix van een paar vrienden van het reclamebureau bestaat uit een zwarte fotograaf met zijn Afro-Amerikaanse vriendin, en een lesbische tekstschrijver (blank) die verbaasd kijkt als Thapelo en Derek, de aantrekkelijke collega's van de echtgenoot, binnenkomen.

'Wat raar dat die mannen, die het liefst mijlenver van alles weg zijn, het leuk vinden om tussen al die hordes kinderen thuis te komen.'

Haar collega Berenice lachte tegen haar boven de salade

die ze samen klaarmaakten.

'Jij zal nooit snappen hoe het is om hetero te zijn, onnozel kindje. Word wakker!'

Derek heeft vier kinderen, Thapelo drie kinderen op eigen beentjes en een baby in een beklede reiswieg met bungelende speeltjes. Dereks vrouw speelt het klaar om eruit te zien als de seksueel uitdagende tiener die ze ooit geweest moet zijn, met tepels die hard tegen een T-shirt duwen, maar haar leeftijd verraadt zich in de hoek van de sigaret in haar mond. De vrouw van Thapelo is een schoonheid, een onderwijzeres die een van de modellen zou kunnen zijn in de reclamecampagnes van Berenice voor luxe auto's of cosmetica. Het wild golvende blonde haar van Dereks vrouw, waardoor ze eerder door kan gaan voor het zusje dan de moeder van haar twaalfjarige dochter, die op dezelfde manier haar blonde sluier laat zwaaien, wordt qua modieusheid gecompleteerd door de met kraaltjes gevlochten hoofden van Thapelo's vrouw en zes jaar oude dochter. De woudlopersmakkers, Paul incluis – Berenice heeft geen last van valse bescheidenheid, daar is het leven te hard voor – vallen blijkbaar voor opvallende soorten, zowel in de wildernis als daarbuiten.

De kinderen, voor wie pizza's zijn aangerukt, doen wie het hardst kan rennen, zijn jaloers op elkaars speelgoed, verzinnen spelletjes, knuffelen, vechten wild en moeten uit elkaar gehaald worden. De particuliere scholen waar ze op zitten hebben tegenwoordig zwarte en blanke leerlingen, en alle tinten en trekken daartussenin. Voor hen heeft deze bijeenkomst niets vreemds.

Wie had kunnen denken dat de intellectueel bruisende Thapelo – de onverstoorbare – zo'n echte huisvader zou zijn? Daar ligt hij, bedolven onder kinderen. Hij wisselt hapjes van zijn volgeladen bord uit met zijn jongste dochter, zet haar op haar beentjes, die nog maar pas haar gewicht zijn gaan dragen. Nicholas, alsof hij met de superioriteit van zijn leeftijd het recht opeist om niet voor haar onder te doen, gaat op Pauls schouder hangen, waar hij makkelijk bij kan nu zijn vader op het gras gehurkt zit.

De drie mannen, die een ander leven leiden in de wildernis, kunnen nergens samen zijn zonder daarnaar te verwijzen, erover te praten, te discussiëren, waarbij ze soms een gepassioneerde (retorische) vraag opwerpen of twijfel uiten over iets wat de anderen in het gezelschap zouden moeten weten, maar wat ze zeker niet weten en misschien ook niet eens *willen* weten. Toch zijn de aanwezige mensen speciaal door Berenice-als-Benni uitgekozen om hen – iets – samen te brengen, en haar selectie werkt uitstekend, omdat de toehorende tekstschrijver nu eens sceptisch kijkt en dan weer vol aandacht instemt, en de fotograaf en de Amerikaanse de stemmen van de woudlopersmakkers onderbreken.

'Wat je niet in de kranten leest, behalve in wetenschappelijk geblabla dat mevrouw Jones of meneer Tshabalala niet begrijpt, en niet hóórt te begrijpen, is dat die radioactieve isotopen in verkeerde handen zouden kunnen vallen, zodat ze een "vuile bom" kunnen maken…'

De Amerikaanse heeft een stem zo doordringend als een deurbel. 'Wat in godsnaam – nou ja, laat God er maar buiten – is een "vuile bom"? Ik ben zo'n oen die nooit iets begrijpt.'

Haar vriend moet duidelijk laten merken dat hij haar niet steunt: hij is beroepsfotograaf in de reclamewereld, hij reist veel, en hij is Zuid-Afrikaan. 'Ze bedoelen Koeberg, die kernreactor op de Kaap.'

'Nee, we hebben 't over de feitelijke gevaren van een pebblebed reactor, die boven aan de projectenlijst staat.'

'Nou, Derek, een enorme vergroting van de al bestaande gevaren van Koeberg, zou je kunnen zeggen.' Paul, geïnspireerd door het bekende terrein van sarcastische verwijzingen, richt zich met een grappige vertrekking van zijn mond tot de oningewijden.

'Kijk naar die kinderen. Onze kinderen. Al onze kinderen. Weten jullie wel hoe gevaarlijk het is, wat baby's kunnen inademen vanaf de dag dat ze geboren zijn? Die veiligheidsmaatregelen stellen niks voor.' En Thapelo voegt eraan toe, wat alleen zijn maten kunnen begrijpen: '"Blind vertrouwen". *Shaya-shaya**!'

De fotograaf heft zijn handen op met de palmen naar boven. 'En dat moeten we hier met z'n allen geloven.'

'Maar hoe ver zijn die plannen al voor dat pebble-bedgebeuren? Ik bedoel, is het al in gang gezet?'

Leest die vrouw – Benni heeft Paul verteld dat de vriendin van de fotograaf in het bankwezen zit – geen kranten als ze een land bezoekt? Ach, we volgen allemaal alleen wat we vinden dat ons persoonlijk aangaat, voetbaluitslagen of in haar geval misschien de beurs in New York en de rentestanden. Op dit moment kan hij maar beter niet verder denken dan de datum voor het volgende bloedonderzoek. Hij informeert haar over wat iedereen in elk geval in de kranten had kunnen lezen. 'Eskom, het staatselektriciteitsbedrijf, heeft eind vorig jaar een vergunning van de National Nuclear Regulator gekregen. Hoewel de minister van Milieu voor de rechter is gedaagd door Earthlife Africa en andere groeperingen, zelfs door de Kamer van Koophandel van de Kaap – zakenmensen die meestal andere dingen op hun rekenmachines hebben staan dan uitroeiing door lekkende kerncentrales...'

'Ik geloof niet dat het zo erg is. Bij lange na niet.' De tekstschrijver is klaar met het vegetarische eten dat haar collega Berenice voor haar heeft klaargemaakt; maar ze kan geen frisse lucht inademen, weg van de rook van het vlees op het vuur.

Thapelo is overgehaald om op te staan door degene die het staan net onder de knie heeft, en danst een Afrikaanse dans met haar. 'Dat is het probleem, we kunnen de mensen niet overtuigen. Daarom hebben de grote bazen van Eskom toestemming van de regering gekregen om een miljard te stoppen in de ontwikkeling van de kiezeltechnologie.'

De fotograaf komt overeind uit zijn luie houding en gaat voor de drie zo gewoon uitziende mannen staan, die lijken te spreken met de stemmen van bijbelse profeten. 'Zeg, ik wil graag foto's maken van die gebieden, ik bedoel, de plek waar ze dat ding gaan bouwen.'

Om de stemming wat op te vrolijken roept Benni van de plaats waar ze de karbonaadjes roostert: 'Ik denk niet dat dit onderwerp verkoopbaar is voor onze klanten, lieve Lemeko!'

Misschien hoort niemand haar boven het gesis uit.

'Wat doen jullie daar nog meer? Volgens Berenice ziet ze Paul wekenlang niet.'

Derek schenkt zijn wijnglas nog eens vol, terwijl hij met één opgetrokken wenkbrauw toestemming vraagt van wie er ook maar kijkt, en zegt, alsof het een bekentenis is: 'Nu even iets anders. Een sterke coalitie voert actie tegen een nieuwe snelweg door de kust van Pondoland, een ongelooflijke botanische rijkdom. Wel eens geweest? We doen wetenschappelijk onderzoek om op basis van onweerlegbare feiten te kunnen protesteren. Er mag geen speld tussen te krijgen zijn. Die tolweg mag er niet komen; slecht voor het plantenleven en voor de mensen: de Amadiba wonen daar.'

De tekstschrijver herinnert zich onlangs iets interessants gelezen te hebben – wat was het ook weer – een site over het werelderfgoed, 'De wieg van de mensheid'; houden de drie mannen zich daar ook mee bezig?

De gastheer maakt aanstalten om datgene te gaan doen waar hij zich op moet concentreren: zorgen voor de trog met gloei-ende kooltjes en het overnemen van het draaien van het vlees, maar treuzelt. 'Dertien dolomiet kalksteengrotten. Fossiele overblijfselen van planten, dieren en hominiden – de oudste leden van de menselijke familie. Dat is niet ons terrein. De doden zijn niet meer te redden. Maar je moet maar eens naar die plaatsen toe om er een beeld van te krijgen; de dichtstbijzijnde is in Johannesburg. Ik wil er met Benni en Nickie een keer heen, ga dan mee.'

'Ik ben bang voor vleermuizen.' Ze werd flirterig van wijn, hoewel ze er niet op uit was om mannen te versieren.

Australopithecus, verre verwant: daarover vertelde zijn vader toen hij klein was. *Paranthropus*, geen voorouder van de levende mensen die op deze zaterdag bijeen waren, maar een evolutionaire aanpassing (hij herinnerde het zich als een litanie) die het een miljoen jaar in Afrika had uitgehouden. En het pleistoceen, tussen de ijstijd en de eerste mensen in. Adrians passie, amateurpaleontoloog, -antropoloog, -archeoloog. Hij wist zoveel, en de zoon die naar hem luisterde werd net zo toegewijd, maar dan op een ander 'terrein'. Een vak, een levenswerk, geen hobby voor na de pensionering.

Het gezelschap bleef tot het vallen van de avond. De zonsondergang was zo spectaculair vanwege de luchtvervuiling, zei Derek – iedereen lachte omdat hij hun pret bedierf, sommige dingen kun je maar beter niet weten. 'Ach, dat goeie ouwe beeld van wegrijden-in-de-ondergaande-zon, daar kun je in de reclame toch niet meer mee aankomen. Wakker worden!' Benni sprak vrolijk spottend namens haar collega's. Haar plannetje was goed verlopen. Nickie werd onhandelbaar, prinsje dat vriendjes had gevonden. Toen de vrienden weg waren, ruimde ze samen met Paul op. Ze keek nauwlettend naar hem of hij tekenen van vermoeidheid vertoonde, die, naar haar mening en niet omdat een arts dat had geopperd, zijn herstel, zijn terugkeer zouden verstoren. Maar hij zag er goed uit. In bed snoof ze in zijn haar de huiselijke rooklucht op van het feestmaal dat hij zo goed had verzorgd.

Kwam het voorstel van Berenice of van Benni?

De twee personages raakten steeds meer verstrengeld in het leven dat ze nu leidden. Het was in ieder geval na de maanden die volgden op die zaterdag, maanden waarin hetzelfde soort

informele uitnodigingen kwamen als reactie op haar proef-
partijtje. Ze werd door haar collega's van het bureau gevraagd
om die leuke makkers van Paul, Thapelo en Derek dinges, en
hun kinderen, mee te brengen; Thapelo en zijn vrouw Than-
dike nodigden op hun beurt de tekstschrijver (die deze keer
vergezeld werd door haar vriendin), de fotograaf en zijn Amerikaanse geliefde uit, om een verjaardag in Thapelo's familie te
vieren.

Laten we een kind maken.

Nog een kind. Ze zei er niet bij dat het ook een carrièrebe-
sluit was; ze was bereid iets van haar energie, haar gejaag op het
ene succes na het andere op te geven, om haar lichaam aan de
nadelen van een ontregeld leven te onderwerpen en de afleidende, opslokkende gevoelens te aanvaarden die het liefdevol
verzorgen van een baby met zich meebracht.

'Het is goed voor Nickie. Een enig kind – dat is maar alleen.'

God mag weten hoeveel eenzaamheid hij had ervaren, die
dagen weken die vergeten moesten worden, op een bepaalde
manier goedgemaakt moesten worden (hoe kon zij dat beslissen), om te begrijpen wat eenzaamheid is, al was dat in wezen
niet te vergelijken… de kindertijd is een andere toestand.

Hij zei niets, beantwoordde traag haar blik; toen schoten
zijn ogen schichtig weg en zijn hoofd maakte een beweging die
zowel vragend als instemmend kon zijn.

Hoe dan ook. 'Maar goed, ik gebruik niets, slik niets.' De
natuur mocht het uitmaken.

Berenice twijfelde er niet aan dat ze nog kinderen kon krijgen. Het grootste deel van haar seksuele leven was erop gericht
geweest om dat te vermijden. Maar er gingen maanden voorbij
zonder dat ze zwanger raakte. Elke vier weken ongesteld. Werd
ze nu al oud, op haar tweeëndertigste, belachelijk. Ze had bij
haar collega's aangekondigd dat ze al binnen enkele maanden
een interim moesten zoeken die haar plaats zou innemen
achter haar bureau, haar computer, haar telefoon; haar man

en zij hadden besloten nog een kind te nemen. Nu bekende ze dat het niet leek te lukken. Ze nam hun deskundige raad aan. Een gynaecoloog zou er wel raad op weten. De vruchtbaarheidstests toonden aan dat ze normaal ovuleerde. Op advies van de gynaecoloog instrueerde ze Paul en zichzelf in wat zij 'acrobatiek' noemde, en gaf orders tot intens seksueel contact tijdens de vruchtbare perioden, aangeduid door een stijging van de temperatuur in haar vagina. Vreemd genoeg – onverwacht bij een man die nog maar kort geleden een dodelijke ziekte had overleefd – werd hij kennelijk niet beïnvloed door dit sterke, veelvuldige beroep op zijn potentie. Zodra ze hem in de wildernis via de radio (mobiele telefoons doen het niet als ze te ver van een energiebron zijn) meldde dat haar vruchtbare periode was aangebroken, kwam hij naar huis om zijn plicht te vervullen, om daarna terug te keren naar zijn wildernis.

De conceptie bleef uit. Weer ging ze naar de gynaecoloog.

'U ovuleert normaal, dat is bewezen. Uw man moet zijn sperma laten nakijken.'

Paul moet een afspraak maken met zijn huisarts.

Wanneer?

Hij heeft geen afspraak gemaakt.

Zal ik bellen?

Nee, ik doe het wel.

Maar hij doet het niet. Berenice/Benni vraagt het niet meer.

Kan het niet.

Kan zichzelf, dit zelf, niet onderwerpen aan nog meer onderzoeken, nog meer handelingen die zijn lichaam binnendringen, controleren. Het doet zijn werk goed, de penis is paraat, voorhanden, als hij 's ochtends wakker wordt; zijn penis geeft en ontvangt opwinding als hem dat gevraagd wordt, zo vaak, om bij haar naar binnen te gaan en zich met stootjes van genot in haar te legen. Zonder reden, zonder het ook maar te kunnen weten uit alle tests waar een laboratorium op vertrouwt, zonder te weten of er überhaupt een reden was, gelooft hij half dat de roofcellen het misschien toch niet hebben opgegeven, dat de straling die jacht op hen maakte ergens in hem nog op een waakvlammetje brandde. Misschien zat dat wel in zijn sperma. Wat voor kind zou daaruit voortkomen.

Hij kan zijn lichaam niet vertrouwen. Het blijft de vreemde die het is geworden

Na maanden waarin de kwaliteit van het gewone dagelijkse leven redelijk was, wat slechts op zijn waarde wordt geschat als het kapot is gemaakt en daarna met enige inspanning hersteld is – zij is adjunct geworden van het reclamebureau, hij heeft zijn situatierapport over de Okavango voor zijn team afgemaakt, zodat het aan de minister van Milieuzaken kan worden aangeboden en aan de pers gepresenteerd – brengt zij het onderwerp tweede kind weer aan de orde. Niet verwijtend, bijna met een soort aarzelende tederheid.

'Als je nog een kind wil, zoek je maar een andere man.'

4

Word wakker

Lyndsay verwachtte niet dat ze van het vliegveld opgehaald zou worden. Paul was die dag in Pretoria met een delegatie van de World Conservation Union op het ministerie van Milieuzaken, en Benni hoefde zich op geen enkele manier verplicht te voelen, onmisbaar als ze was voor haar klanten – reclame maken is een zeer persoonlijke manier van zakendoen. Maar op de avond dat ze aankwam at de moeder bij haar zoon en zijn gezinnetje, en Lyndsay en Paul zagen elkaar vaak tijdens Adrians afwezigheid, om welke wederzijds bedachte reden dan ook. Lunch als Paul op kantoor in de stad moest zijn, een wandeling met haar op zondag (zijn idee, verrassend attent, hij had vast veel interessantere dingen te doen). Er hing iets tussen hen in dat onuitgesproken bleef. Hij zocht haar niet op in het oude huis. Zij vroeg het ook niet. Ze hadden een andere tijd, een ander land gemeenschappelijk, maar niet echt samen; ergens anders bestond die intimiteit niet. Maar beiden vonden het goed dat Adrian zijn toevallige archeologische avontuur beleefde: een terechte erkenning van een roeping door de mensenrechtenadvocaat en de ecoloog, die van hun roeping hun beroep hadden gemaakt. Ze hadden er nooit over gepraat, maar nu er zich zoveel situaties hadden voorgedaan die niet hadden mogen gebeuren, in het huis waar hij was opgegroeid, kon ze tegen hem haar gedachten uitspreken, aarzelend maar berustend, hoe zijn vader, haar man, het plan had opgegeven om archeoloog te worden – tot een bepaald moment, althans, dat nooit zou komen. Met graven in het prehistorische verleden zou hij waarschijnlijk niet kunnen zorgen voor het huisje-boompje-beestje waar het huwelijkscontract toe verplichtte.

'Ook al was jij een werkende vrouw, een advocaat? Die geld kon inbrengen? Moet een andere reden hebben gehad dat mijn vader, dat hij niet kon, niet wilde…'

'Ik was een groentje en ik moest keihard werken! Een jonkie onder aan de juristenladder, ik verdiende het salaris van een klerk. Niet iedereen wíl iets zo koppig, zo stellig als jij, niet iedereen heeft – hoe noem je dat – oké, een roeping die belangrijk is voor het overleven in het algemeen en op de eerste plaats staat, die voor alles en iedereen gaat. Bijna niemand heeft die mazzel.' Ze keek even de andere kant op, alsof ze iets was vergeten. 'Of de pech.'

Was hij een slechte huisvader, bedoelde ze dat? Maar de drie woorden vervaagden. Wat zijn lijf had uitgestraald, geïsoleerd als gevaar voor anderen, betekent dat de gebruikelijke normen, beloningen en straffen niet op hem van toepassing waren, niet zo snel al. Ze las voor uit een brief die ze van zijn vader had gekregen, een humoristisch beschreven ongeluk, ergernis omgevormd tot een goed verhaal. Een auto die de doorgaans betrouwbare Noorse had gehuurd begon zich plotseling te gedragen als een van de vulkanen, woest rook spuwend, zodat de gids en haar passagier de auto moesten verlaten en hem uit laten branden, terwijl ze de nacht zittend doorbrachten in het eenkameradobehuis van indianen, met wie zelfs het Noorse talenwonder geen woord kon wisselen. Geen probleem, er kwam de volgende ochtend hulp in de vorm van een passerende bus. Het leek hem verstandig om nog een paar dagen langer in het land te blijven dan de geplande retourdatum, niet alleen omdat de auto door het incident kapot was gegaan, maar omdat de tocht naar een opgraving die hij vooral graag wilde zien niet was doorgegaan, en wie weet wanneer hij daar weer de kans voor kreeg. Toen volgde een beschrijving van wat hij zocht, wat er op die plek werd opgegraven, en Lyndsay gaf het aan Paul, zodat hij het zelf kon lezen.

'Klinkt fantastisch. Ik ken dat gevoel, als we in de *bundu*˙

zijn en niet op de plek kunnen komen waar we moeten zijn.'

De brief bracht warmte tussen hen. Ze sprak over de derde die erin aanwezig was. 'Hij heeft helemaal z'n draai gevonden. Ik zie ons nog wel eens teruggaan.'

Drie dagen voor de dag van Adrians uitgestelde aankomst – in zijn werkkamer, zijn wijkplaats, had ze bewaarde kranten en tijdschriften waarin interessante dingen stonden die hij had gemist, op stapeltjes gelegd – kwam ze met een nieuwe brief. Paul was thuis met Nickie, zijn tegenstander in een computer-spelletje. Na een paar minuten te hebben toegekeken stelde ze haar zoon de vreemde vraag of ze hem even alleen kon spreken. Ze zei het op een toon alsof ze niet kon geloven wat ze zichzelf hoorde zeggen. Maar dat het vreemd was stond buiten kijf; deze keer straalde zíj iets uit. Hij verlokte het kind om naar het kindermeisje te gaan (politiek correct: de oppas). De jongen was dol op de vrouw, een nicht die Primrose had aangebracht, en leerde zonder zich daarvan bewust te zijn Setswana met haar te spreken. Een nieuwe generatie, waar blanken uit voort konden komen die meerdere talen spraken, zij het niet op het niveau van Thapelo. De vader glunderde elke keer als hij het jongetje de paar woorden hoorde spreken.

Paul bleef even voor zijn moeder staan. Toen ging hij zitten, niet naast haar, maar in een stoel, vlakbij.

Als iemand het had kunnen begrijpen, was zij het wel. Maar toen ze de dunne velletjes openvouwde, met een handschrift zo robuust als de trekken van het – Adrians – gezicht dat haar even vertrouwd was als dat van haarzelf zoals ze dat in de spiegel tegenkwam – klaar voor weer een verslag van zijn plezierige ontdekkingen van oude dingen, begreep ze niet wat ze las. Zelfs deed ze de hand die de brief vasthield even opzij, om daarna weer de eerste alinea's te lezen. Hij wilde direct en eerlijk tegen haar zijn, zoals hij altijd was geweest. Iets anders zou de waarde van hun gezamenlijke leven tenietdoen. Een lang leven, en daar hoorde de onbeschrijflijke recente ervaring thuis met hun zoon bij. De lange tijd door haar zo terecht succesvolle loopbaan heen, zijn trots daarover die nooit zou veranderen, en de lange tijd door zijn werkzame jaren heen tot aan zijn pensioen.

Hij bleek verliefd te zijn op het Noorse meisje. Vrouw eigenlijk: ze was bijna vijfendertig. 'Ik ben vijfenzestig. Nooit gedacht dat dit kon gebeuren, met mij niet, met niemand van mijn leeftijd, ik ben goddomme opa, dat besef ik, mijn werkende leven is voorbij. Hoe kan het opnieuw beginnen? Ik weet dat je het niet zal kunnen geloven. Ik kan het ook niet. Maar lieve Lyn, het gebéúrt. Het is Hilde en mij overkomen. Dertig jaar leeftijdsverschil. Ze is een paar jaar geleden ge- scheiden van een Argentijn die in Mexico woonde, ze heeft nooit kinderen gekregen. En nu houdt ze van een oude man, die de man is van iemand anders. Je weet niet half hoe ver- schrikkelijk ze het voor jou vindt; ze vond je heel aardig, we konden goed met elkaar opschieten. Dus niemand heeft dit gewild, maar het is wel gebeurd, het is wel gebeurd.

Plotseling hadden we iets samen wat denk ik een avontuurtje had moeten zijn. Een vakantieliefde. Ik weet het, ik weet het, het laatste slippertje van een oude man. Maar blijkbaar ben ik niet iemand voor slippertjes. Ik werd verliefd op jou, meer had ik niet nodig. Levenslang, zoals je een levenswerk hebt. Nu hou ik van deze vrouw, ik kom er niet onderuit.

Ik weet niet hoe het verdergaat. Maar dat is gelogen, want ik weet wel dat ik voorlopig in Mexico blijf, bij haar.

Hoe moet het verder met ons, zul je vragen als je dit leest. Ik weet het niet. Ik weet alleen dat ik niet in deze situatie kan leven, achter je rug om, uit het zicht in Mexico. Nota bene juist dáár. Het moest wel in Mexico gebeuren, waar ik de droom heb kunnen verwezenlijken van iemand met een interesse voor archeologie om opgravingen te zien die je alleen uit boeken kent. Doordat ik de namen van oude *aficionados* ter sprake bracht, amateurs die ik heb gekend, en van sommige grote ontdekkingsreizigers als Tobias; en andere, Wadley, Parkington en de jonge Poggenpoel. Is dat niet genoeg?

Nee. Ik kan niet liegen.

Ik kan nu niet zeggen wanneer ik terugkom. Om dingen te regelen, wat dat ook mag zijn, om bij elkaar te gaan zitten en hierover te praten.

Weet niet hoe ik moet bedenken om deze brief te beëindigen, aan jou.'

Alleen zijn naam eronder, Adrian.

Ik dacht dat je zou zeggen dat je bij me wegging.

Hij zegt niet wat er verder nog is gebeurd, wat vier jaar heeft afgesnoept van zijn levenslange liefde voor mij. Hij is het niet vergeten, de ouderdom is vast niet zo mild, hij wil duidelijk stellen dat er geen recht op verdediging is, wraak heeft er niets mee te maken, met wat hij nu doet. Het is niet waar, voor hem noch voor mij of wie dan ook, dat dit je 'overkomt'; je moet bereid zijn en de wil hebben om je erin te begeven, in die situatie, ook al is de vervulling tegelijk een vervreemding. Het 'overkomt' je niet, zoals het onze zoon overkwam. Je moet rampspoed hebben gekend om het verschil te weten.

Je zegt dat je bij me weggaat.

Ze moest naar iemand toe, moest de tweede brief op zijn echtheid laten testen in de ogen van iemand anders, onafhankelijk laten ontcijferen. Geen informatie – familienieuws – om door de telefoon aan Emma in Brazilië door te geven. Of mee te nemen naar Jacqueline in haar buitenwijk ten noorden van de stad, of troost te zoeken door een vliegtuig te pakken naar Susan. Hoewel geen van de volwassen kinderen weet dat de moeder vier jaar kon liegen (zoals Adrian dat in eerlijkheid niet kon), is de enige bij wie ze kan aankloppen degene die afschrikwekkend stralend in het huis van zijn jeugd bescherming vond. De gezamenlijke kennis van het onzegbare maakt het mogelijk samen te praten over deze banale scheur in het intieme leven. Met deze zoon kan de schijn worden opgehouden dat het niet over zijn ouders gaat: ze kan rekenen op een zekere afstand vanwege de verwijdering, zelfs van degenen die het risico namen om in hetzelfde huis te wonen waarin hij een tijdje leefde. Het ligt in de aard van haar beroep als advocaat om nergens anders op te vertrouwen dan op objectiviteit; de waarheid – die is veel ongrijpbaarder. Die wordt door de rechter gesproken daar waar zij is – maar aan hem ontglipt.

Maar het wordt moeilijk, vol stiltes, om te praten, ook met deze zoon, terwijl ze weet dat ze vier jaar heeft verbruid, voor zichzelf en zijn vader. De leugen is dus teruggekeerd in het heden. Eenmaal liegen is altijd liegen.

Weer hoopt ze dat ze hem alleen treft. Stel je de gêne – of het geroutineerde gebrek eraan – van Benni voor. Oudere mannen vallen voor vrouwen die hun dochters hadden kunnen zijn, elke dag, misschien (interessant?) verdrongen incest die laat wordt uitgeprobeerd. Sympathie van vrouwen zal niet uitblijven, je weet hoe mannen zijn, terwijl het altijd duidelijk is geweest dat Benni over die van haar niets te klagen had, zo'n knappe en bijzondere man als hij in de ogen van andere vrouwen moet hebben geleken.

Je weet niet zeker of Benni/Berenice er is. Ze bedacht dat ze moest bellen. Zou er misschien indirect achter kunnen komen of hij alleen was. Hij was terug van een van zijn research-opdrachten. Toen ze het stel de vorige week mee uit eten had genomen om een nieuw Indiaas restaurant uit te proberen, had ze gehoord dat hij besprekingen voerde over hoe hij het best gebruik kon maken van de verlengde deadline om bezwaar te maken tegen de tolweg in Pondoland. Hij gaf antwoord op haar vraag hoe dat overleg vorderde en daarna zei hij dat Nicholas en hij het rijk alleen hadden, omdat Benni een wijnfestival in de Kaap organiseerde.

Kon ze langskomen? Natuurlijk. Morgen, voor het eten? Maar hij stemde meteen toe toen ze zei: Kan het niet vandaag, vanavond? Hij vond dat hij moest vragen: Alles goed? – er zat haar duidelijk iets dwars. Alles goed. Ze waren allebei niet iemand die moest en zou doorvragen op het slappe koord van de telefoon.

Zijn moeder sloeg haar hand voor haar mond.

Hij wachtte – blijkbaar tot ze zich weer had hersteld. Het is een meerduidig gebaar, het kan de uiting zijn van een lach, van schrik, zoveel gemoedstoestanden die niet kunnen worden overgebracht. Gêne. Maar ze voelde geen gêne. Er waren zoveel simpele intieme momenten tussen hen geweest, die zijn machteloosheid als zieke met zich meebracht, dat ze sindsdien geen enkele gêne meer hadden.

'Deze is van Adrian.'

Hij nam de brief aan. Bijna tegen zichzelf, met een verongelijkte frons: 'Hij is toch niet in een van z'n zelf gegraven kuilen gevallen...'

Ze stond zichzelf niet toe om naar het gezicht van de zoon te kijken terwijl hij de brief las, langzaam de twee bladzijden omsloeg, daarna weer terug naar de eerste, net als zij had gedaan, om hem nog eens te lezen. Zoals zij als advocaat de gewoonte heeft om zorgvuldig tot een afweging te komen, heeft hij als onderzoeker van wetenschappelijke gegevens in relatie met ervaringen in het veld, een intuïtieve discipline om te herbeoordelen wat als feiten wordt gepresenteerd.

Hij kon haar niet zeggen wat op zijn tong lag: ik dacht dat hij een been had gebroken of zoiets, toch bijna zesenzestig tenslotte, en dat klautert maar rond in die opgravingen. Maar ongetwijfeld zou dat – een jongeman, net als hij, gewend om risico's te nemen op gevaarlijk terrein – iets zijn geweest waarvan ze had kunnen verwachten dat het met de pensioengerechtigde leeftijd misschien zou worden ingehaald.

De ware omstandigheid maakte het onmogelijk voor de zoon om (waar ze op had gerekend) objectief te zijn; ze werd in de eerste plaats, zoals ze daar voor hem zat, zijn moeder, bedreigd door die andere basisfiguur, zijn vader. Hij deed een poging, nam afstand van het instinct om op te staan en zijn armen om haar heen te slaan, om haar aan het huilen te brengen, te laten huilen, en vroeg wie de vrouw was. Alsof zijn moeder steun kon halen uit de haar vertrouwde rechtsprocedures. Bewijzen.

'Dit is de vrouw die jullie inhuurden om jullie rond te leiden, de gids die zo geweldig was, zoals je schreef, niet de gebruikelijke saaie windbuil, die zich niet opdrong?'

'Ja, dat klopt.'

Maakte geen avances. Tegen een oude man. Maar hij vroeg het niet.

'De Noorse.'

'De Noorse. Ze stelde zich bescheiden op; natuurlijk aten

we samen met haar en zo, dat lag in de lijn, maar soms maakte ze duidelijk – een smoesje, telefoontjes, hints over een privéleven ergens – dat ze begreep dat we met z'n tweetjes wilden zijn, bij het eten, bijvoorbeeld.'

Wat was het aantrekkelijke voor de vader, voor Adrian? Ten eerste, wat voor type vrouw, hoe ziet ze eruit. 'Is ze aantrekkelijk, mooi, ik bedoel, wat heeft ze…?'

'Tja, wat zal ik zeggen. Ik ben een vrouw. Ik kijk niet zoals een man, zoals jij misschien. Donker haar, mollig, maar alleen op de goeie plaatsen, zeer intelligent. Er is iets wat ik niet begrijp: ze heeft de hele tijd zo'n glimlach, zo'n archaïsche glimlach die je op antieke Griekse beelden ziet, weet je wel, die jongemannen – hoe heten ze toch weer, *kouroi*? Adrian en ik hebben die een keer in Athene gezien. Of in een museum in Rome? Ook als we ergens uitrustten met onze ogen dicht tegen de felle zon, languit in een stoel, en ik mijn ogen opendeed, had ze die glimlach. Gesloten ogen, glimlach.'

'Irritant.'

'Nee, ik was er eigenlijk een beetje jaloers op. Als ik mijn brood moest verdienen met het rondleiden van vreemdelingen, en steeds maar weer dezelfde informatie moest geven en dezelfde reacties moest aanhoren – hoe vind je steeds een ander woord voor mooi, tegenvallend? – zou ik die glimlach niet kunnen volhouden. En het was niet opdringerig.'

'En Adrian?'

'Wat bedoel je?'

'Heeft hij ooit iets over haar gezegd?'

'Je weet wel dat hij iemand was die altijd opmerkingen maakte over hoe mooi een vrouw was, iemand uit onze vriendenkring of de jouwe. Maar ik geloof niet dat hij haar een mooie vrouw vond. Dat had hij dan wel gezegd – als we het erover hadden dat we zo boften dat we een Scandinavische hadden gevonden, zo'n bekwaam en vriendelijk type, die toch ook afstand hield.'

Nu glimlachte Lyndsay niet, maar ze stootte een diepe zucht uit, waarmee ze zichzelf onderbrak.

Hij had de brief nog in zijn hand en begon hem weer vluchtig door te lezen, terwijl hij hem al half aan haar gaf.

Geen van beiden wilde hem hebben; hij kwam op het salontafeltje te liggen waar het spel van het kind uitgestald stond.

'Dus dat is allemaal veranderd. In die korte tijd dat ze samen op stap gingen? De auto en het adobehutje. Twee weken?'

'Een paar dagen langer. Ik zou hem aanstaande zaterdag van het vliegveld halen, de uitgestelde datum dat hij thuis zou komen.'

'Mam' – hij viel terug op de aanspreektitel uit zijn jeugd, eenmaal volwassen noemden zijn zusters en hij hun ouders meestal bij hun eigen naam, omdat de ouders daar de voorkeur aan gaven – 'mam, wat ga je nou doen?'

Ze zweeg, hij zweeg ook. Het luidruchtige gestoei tussen Nickie en het neefje van Primrose klonk uit de keuken.

'Ik ben naar jou toe gekomen.'

'Maar ik kan nooit weten wat jij voelt. Hij is m'n vader, niet m'n echtgenoot, m'n man, jouw man.'

'Ben je kwaad op hem?' Als de zoon van zijn moeder.

'Beetje. Jij natuurlijk wel.'

'Nee, nee, niet kwaad. Daar heb ik het recht niet toe.'

Als ze iets had gezegd wat twijfel zaaide over de eigen geschiedenis van zijn moeder, herstelde ze dat snel met een daaropvolgende generalisatie. 'We zijn niet elkaars bezit. Zo is dat niet tussen mannen en vrouwen.' Zonder kippen geen haan.

Zonder schaamte zegt hij (alsof de vader dood is): 'Hij hield zoveel van je. Dat zagen we allemaal. Dus je zal wel... Soms waren we echt jaloers.'

Ze wist niet of hij sprak over 'we' als kinderen (niet genoeg liefde gehad) of dat hij er zijn eigen huwelijksleven tegenoverstelde.

Hoor eens, dit is geen ongeloofwaardig verhaal van iemand die dreigend gevaar uitstraalt, het is een gewone menselijke situatie, hoe pijnlijk ook. Uit de brief blijkt duidelijk dat degene die een keer te veel liefheeft ook verdriet voelt, al kan hij dat wegstoppen in het lichaam van zijn Noorse. Lyndsay is advocaat en het is de plicht van een advocaat om alles met een legale status tussen geboorte en dood te behandelen. Rechten. Lyndsay kan van Adrian scheiden als ze dat wil, daar heeft ze de gebruikelijke redenen voor, ze weet precies hoe je dat aanpakt, hoewel ze dat niveau van rechtspraak allang heeft ingeruild voor de verhevener burgerrechten en staatsrecht. Of ze kan hem deze gegéven fase laten botvieren (liefde, seksuele noodzaak is altijd een gegeven), niet gepland voor het pensioen. Wachten. Kennelijk wil hij niet scheiden, voorgoed uit elkaar gaan, overweegt het niet. Het is een soort appèl – aan wat?

Moeder en zoon begrijpen het zonder erover te spreken.

Het is te snel, nog te vers om open te staan voor de verschillende oplossingen die er moeten zijn. Maar eigenlijk gaat dat alleen de moeder aan, de keuzes kunnen nu eenmaal niet hetzelfde belang, dezelfde onvermijdelijkheid hebben voor de zoon. Hij is uit huis weggegaan, twee keer. Hij heeft zijn eigen leven: die makkelijke smoes om je te onttrekken aan andere intieme verantwoordelijkheden. De generaties kunnen elkaar niet helpen als ze in hun diepste wezen worden gekrenkt. Ze zijn elkaar niet nader dan zijn ongemakkelijkheid nu in een stoel; hij had haar wel willen omhelzen, maar kabaal kondigt aan dat de twee uit de keuken de kamer binnenstormen.

Lyndsay. Lyn. Hij hield zoveel van je. De zoon kon het opbrengen om daar getuige van te zijn, niet iets wat je tegen een moeder zegt. Uit een soap, maar niet uit zijn mond. Hij kijkt niet naar soaps, hij leest bomen en waterwegen.

Ze antwoordt niet meteen op de brief. Antwoorden? Wat houdt dat in? Er gebeurt dit en dan doe je dat. Ze belde niet het hotel in Mexico Stad; misschien verwachtte hij dat ze dat zou doen. Stem tegen stem, in plaats van oog in oog. Ze gaf zichzelf de tijd, wat hem waarschijnlijk ook de tijd gaf. Om terug te komen en te zeggen, zoals ze weet dat je dat kunt doen: de relatie is voorbij. Huilen, zoals zij had gedaan. Om het feit dat het voorbij was of om het verraad van zoveel liefde. Hoe meer dagen ze voorbij liet gaan voordat ze de brief schreef die formuleerde en herformuleerde – doorgestreept, geschrapt en weer opnieuw in haar gedachten naar boven komend (alleen in de rechtszaal, waar ze geen enkele afleiding duldde, was er geen plaats voor wat hij haar had aangedaan), hoe meer hij het gevoel zou hebben dat hij haar stilzwijgende goedkeuring had, een soort aanvaarding, haar begrip dat hij geen beslissing kon nemen, net zomin als zij, behalve zijn opmerking in de brief dat hij voorlopig daar bleef en opgravingen ging bezoeken met zijn geliefde.

Hoe langer het antwoord ongeschreven bleef, herschreven wanneer ze van kantoor terugkwam in het oude huis, dat nooit leeg had gegalmd in de perioden dat hij weg was, maar dan en dan zou terugkomen; wanneer ze in het donker lag en zijn kant van het bed plat was, geen lichaamshorizon te ontdekken, was de interpretatie van het gebeurde anders. Leven en werken.

Zijn hele leven had hij gewerkt, zonder klagen, blijmoedig, zo leek het, in de voldoening dat hij deed wat hij moest doen, consciëntieus, in een betrekking die hij niet zelf had gekozen. Het enige hoogtepunt: pensioen. De ervaring die dan misschien geen volledige vervulling was van zijn roeping, maar er toch dicht bij in de buurt kwam (hij meldde immers dat hij bij een opgraving 'de aarde had gezeefd' die het verleden prijsgeeft), werd die niet versterkt door het besef dat er nog een andere roeping is: weer lief te hebben? Ze horen bij elkaar. De vrouw en de archeologie. Het liefhebben en het opgraven.

Misschien zou dat de inhoud van de brief moeten zijn, laatste versie voordat hij geschreven wordt. Ze dacht niet dat ze het de zoon kon voorleggen, zelfs hem niet. Zelfs hij zou het opgelucht als een rationalisatie beschouwen. Rationalisatie was voor zijn moeder van wezenlijk belang bij welke oplossing dan ook. Hij zou in elk geval veel te druk bezig zijn – en zo hoorde het ook – met de wederopbouw van zijn eigen leven, om te zien hoe de rationalisatie uit de vertrouwde familieaarde werd gezeefd, zodat alles waaruit het leven van die twee, de ouders, had bestaan zichtbaar werd. Heel gewoon. Een versie ervan. Net als het weer starten van zijn huiselijk leven met vrouw en kind, de fundamenten van het gezin – blijkbaar opnieuw samengebracht.

De geschreven brief was totaal anders dan een van de ongeschreven kladversies met hun opgeklopte emoties, wrede tegenstrijdigheden (wie had ooit kunnen denken dat je jezelf zo belachelijk zou maken als man van tegen de zeventig) en begripvolle droefheid (we hebben het nog steeds goed samen, ja, zelfs in bed).

Eerlijk. Zijn zoals hij was.

'Ik moet eerlijk bekennen dat ik het nauwelijks kan geloven; ik ben verbijsterd. Ik heb in de loop van ons lange huwelijk, ook sinds je ouder wordt, heus wel gemerkt dat vrouwen op je vallen, maar Hilde gaf geen enkel blijk dat ze meer op jou reageerde dan op mij. Dezelfde glimlach. En jij – ben ik zo dom om te denken dat mensen, de man en de vrouw, elkaar na al die jaren zo goed kennen dat elke verandering niet onopgemerkt blijft? Blijkbaar dacht ik dat wel, denk ik dat nog steeds. Toen we samen met de gids waren, deed ze niets anders dan glimlachen. Jij was, net als ik, gevoelig voor het enthousiasme en de stiptheid waarmee ze ons naar plaatsen en voorwerpen bracht die we wilden zien, en haar kennis van hun geschiedenis en betekenis. Je hing niet de galante ridder uit – je begrijpt wel wat ik bedoel. Ik dacht eigenlijk dat je op een bepaalde manier opgelucht was als ze zich verontschuldigde om samen met ons te eten; we hebben nooit gebrek gehad aan gespreksstof tijdens een maaltijd met z'n tweetjes. Misschien heb ik je verkeerd begrepen en was het juist vanwege de spanning om de gevoelens die je voor haar begon te krijgen een opluchting als ze er even niet bij was.

Ik zou haar wel iets kunnen verwijten. Maar dat ga ik niet doen. Het heeft ook geen zin, voor mij noch voor haar, dat zij het erg vindt. Zoals je al schreef: het is gebeurd, jullie hebben het allebei laten gebeuren. Uit je brief lees ik dat je niet weet wat je op dit moment wil ("behalve dat je mij niet wil" doorgehaald). Dus laten we het voorlopig maar als een verlengde vakantie zien. Ik heb Paul je brief laten lezen, maar voor de meiden is de verlengde vakantie de enige reden dat je nog niet terug bent: je bent nog meer opgravingen aan het bekijken. Het vervelende gevolg daarvan is misschien dat als Emma erachter komt dat je nog in Midden-Amerika bent, ze je zal willen overhalen om even naar Brazilië te vliegen om onze kleinkinderen te zien.' ('Kleinkinderen'. Was dat gemeen; maar ze liet de dubbelzinnige verwijzing staan, streepte hem niet door.)

Ze tikte de brief op haar pc. Toen ze de uitdraai oppakte, stond ze op het punt in haar eigen handschrift 'ik hou van je' te schrijven. Maar ze zette alleen de versie van haar naam eronder waarbij hij haar kende, 'Lyn'.

Z e hoefde Paul niet te zeggen dat hij zijn zusters niet mocht vertellen wat die verlengde archeologische reis inhield. Ze hadden eigenlijk niet veel contact. Familiebijeenkomsten met Kerstmis en nieuwjaar kwamen allang niet meer voor, en hun door Benni geregelde sociale leven werd bevolkt door haar collega's, waar nu enkele van zijn veldwerkers aan waren toegevoegd. Sinds hij niet meer in quarantaine was, had zijn liefhebbende zuster Emma niet meer uit Brazilië gemaild, ervan uitgaand dat hij haar impulsieve, amusante berichten niet meer nodig had. Vaak was het op Benni's voorstel dat zijn moeder kwam eten; Lyndsay bracht altijd een fles goede wijn mee. Benni vroeg dan argeloos of ze nog iets van Adrian had gehoord, en leek even argeloos te luisteren wanneer Lyndsay vertelde over een schitterende streek waar hij zojuist doorheen was gereden, waarbij ze eraan toevoegde: 'Jullie moeten echt een keer naar Mexico, het is spectaculair mooi. Alleen al een bezoek aan het antropologisch museum is het waard.' Als dit een tussenperiode was, had zijn moeder daar net zo'n controle over als over zijn eenzame quarantainetijd.

Haar zoon en zij hebben weer iets gemeenschappelijk, iets wat er ook – door alletwee onopgemerkt – was tijdens zijn terugval in zijn kindertijd en haar terugval, toen ze die vier lollyjaren weer beleefde. Beiden hebben de opdracht om zich, boven hun persoonlijke leven uit, te verbinden aan de toestand in de wereld. Rechtvaardigheid. Het voortbestaan van de natuur. Hoe hun privé-leven er ook uitzag, ze zette zich samen met haar collega's ten volle in om de complexe, schijnbaar uitzichtloze zaken te volgen en te weerleggen, de nuances uit de verklaringen te halen, de leugens te ontmaskeren uit de wirwar van feiten, in de corruptiezaken waarvoor zij moesten pleiten en die, met verdagen en terugverwijzigingen, zich zeker maanden zouden voortslepen. Weer een verlengde periode. Hij reisde nu samen met Thapelo en Derek heen en weer naar de kustduinen van de Oostkaap, in afwachting van het besluit van de regering om mijnvergunningen te verlenen voor het winnen van titanium en andere metalen – in hetzelfde gebied als het tolwegproject. Het onderwerp om nog een kind te maken, een speelkameraadje voor Nickie, was niet meer aan de orde gekomen. Die ene opmerking van hem, toen, had de deur dichtgedaan. Ze vreeën als hij thuiskwam van de duinen en rook naar de zee, zoals ze zei, wat haar kennelijk opwond. Hij nam aan dat ze zich beschermd had tegen bevruchting. Zich beschermd had tegen hém.

Zijn moeder werd op de een of andere manier deel van het leven in zijn huis waar hij naar was teruggekeerd, dat hij weer had opgepakt; alsof ze zich in het oude huis, na het einde van de quarantaineperiode en door de afwezigheid van de vader, niet meer thuis voelde. Wanneer hij naar de stad terugkwam, naar zijn leven daar, trof hij haar vaak met Nicholas en Benni aan. Blijkbaar had ze een soort band, hoewel niet intiem, maar dan toch vertrouwd, met de gecombineerde persoon Berenice/Benni, met wie ze weinig gemeen had. Nou ja, hemzelf en de jongen dan. Naarmate de archeologische reis, de vervulling van een lang ontkende roeping – zo werd het stilzwijgend geaccepteerd – inderdaad langer ging duren, kreeg het iets van de gewone alledaagsheid waar Lyndsay in de quarantaineperiode voor had gezorgd. Blijkbaar vulde ze haar tijd liever met het gezelschap van andere vrouwen dan de getrouwde stellen die vrienden waren van Adrian en haar samen. Haar zoon vond dit wel normaal voor een vrouw die niet op zoek was naar een nieuwe man, die gebrekkig was vanwege ouderdom of eigenlijk niets van de mannenjacht moest hebben, iets waar hij nooit bij stil zou hebben gestaan als hij niet zo bezorgd voor zijn moeder was. Behalve de kring van wederzijdse vrienden van zijn ouders, had zij altijd contacten gehad in de orde van advocaten, het merendeel mannen, omdat rechters en vooraanstaande advocaten dat nu eenmaal meestal waren. Op een zondag bracht ze een nieuw, kennelijk bijzonder iemand mee, niet uit advocatenkring, maar uit het maatschappelijk werk, geen keurige brave burger, zoals je soms onder de getrouwde stellen tegenkwam, maar een medewerkster bij de plaatselijke sociale dienst. Ze was een kleurling, haar brede gezicht een compositiefoto van Khoi Khoi, San, Maleis, Nederlands, Engels, Duits en meer invloeden die alleen het verleden kent, een prettige mix. Ze werd voorgesteld als Charlene Nog-wat, maar onderbrak haar lachend met: 'Zeg maar Charlene, zo heet ik.'

Lyndsay weerlegde haar bescheidenheid met: 'Ze heeft me laten kennismaken met de harde realiteit die mijn collega's en ik alleen maar als het eindresultaat zien. Gisteren heeft ze me meegenomen naar een kindertehuis, nee, je kan het beter een afkickcentrum voor kinderen noemen. Vondelingen, sommige besmet met hiv, andere hebben al aids.'

'Afschuwelijke gedachte. Dat zal je wel moeilijk hebben gevonden.' Benni is, net als Adrian, ook recht voor zijn raap en maakt de botte opmerking die anderen zouden binnenhouden om niet ongevoelig over te komen.

Deze Charlene besefte dat een verklaring op zijn plaats was over hoe deze kennismaking met de realiteit tot stand was gekomen, en misschien ook omdat ze de impuls niet kon bedwingen om te laten zien wat ze waard was, als mentor van iemand met een hoge positie in de wereld van gezagsdragers. 'Ach ja, ik heb net getuigd in die grote zaak, hè, over mijn zwager die de zak had gekregen – hij was adjunct-bedrijfsleider in een supermarkt – omdat hij aids heeft. Hoe hij dat heeft gekregen is een ander verhaal, dat ga ik niet vertellen, maar de vakbond heeft een kort geding aangespannen, en mevrouw Bannerman was de advocaat.'

'Wederrechtelijk ontslag. We hebben gewonnen. Het is een soort proefproces waar anderen hun voordeel mee kunnen doen. Charlene Damons was een uitstekende getuige; de jurist die haar zogenaamd moest voorbereiden, zei dat het eerder andersom was.'

De twee vrouwen lachten. Door de getuigenis moest Lyndsay belangstelling hebben gekregen voor de vrouw. Had duidelijk een gelegenheid geschapen om met haar te praten. De tijden dat zwart en blank in koffiehuizen gescheiden werden en je nergens heen kon waren allang voorbij. Tijdens de zondagse lunch moedigde Lyndsay de spraakzame Charlene aan, die weinig aanmoediging nodig had, terwijl ze rustig genoot van het eten en de wijn, die meestal door de moeder van de gastheer werd verzorgd, om te vertellen over haar werk met hiv- en aidslijders, met name mensen die in de industrie en winkelketens werkten.

'Wat gebeurt er met die kindjes? Gaan er veel dood? En als ze met behandeling in leven blijven. Worden ze wel behandeld?' Benni veegt ijs van Nickies mond.

'Er gaan er veel dood. Wat doe je eraan. Ze zijn achtergelaten in openbare toiletten. Sommige op straat, de politie vindt ze en brengt ze daarheen.'

'En de moeders?'

'Niemand weet wie de moeders zijn, of de vaders.'

Lyndsay heeft met schuin hoofd zitten luisteren. 'Maar als je ze ziet, hun gezichtjes. Ze zien eruit als een iemand. Niet niemand.'

Het bewijs is er. Nickie, met ijs besmeurd gezicht, lijkt op – Paul, Benni, Lyndsay. Adrian. En nog verdere voorouders. Zoals de elementen die samenvloeien in de Okavango; zoals de natuurkrachten van de alchemie de zandduinen vormen, die mineralen afscheiden uit nog oudere formaties.

Er gebeurde niet veel bijzonders tijdens de nieuwe soort familielunch met de gast; Paul en Benni zagen haar nooit meer. Lyndsay was aan een nieuwe zaak bezig. De volgende keer bracht ze geen persoon mee, maar een brief, de eerste van vele, die ze aan de familie voorlas zoals ze soms een e-mail van Emma meebracht: een brief van Adrian die haar iets meldde over het leven dat hij nu leidde. Een toestand die lastig in een hokje te plaatsen was. Reizen naar de bergen, de geboortestreek van Zapata, nog meer schilderingen van Orozco gezien, het weer. En archeologische vindplaatsen natuurlijk. In een brief zei hij dat hij van plan was dingen op te schrijven. Wat je voelt als je deze opgegraven antieke schatten ziet, terwijl je zelf in een tijd leeft waarin oorlogen worden gevoerd over het bezit van wapens waarmee elk spoor van die tijd kan worden vernietigd. (De brieven hadden dezelfde aanhef als drukwerk: 'De bewoner van dit pand', 'Beste familie' op de eerste bladzijde.) Als Lyndsay bij die paar zinnen kwam, hoorden de anderen aan haar afstandelijke toon dat ze voor haar persoonlijk bestemd waren.

Waarschijnlijk schreef ze soortgelijke brieven terug – zou het? – waarin ze vluchtig verslag deed van de belevenissen van de familie; of ze ook woorden tot hem richtte die alleen voor hem bestemd waren, overblijfselen van het contact uit hun persoonlijke, niet antieke, verleden, was haar eigen zaak; haar zoon kon dat niet weten, evenmin als hij kon vooruitlopen op een conclusie die de ouders misschien zelf zouden kunnen trekken.

Het geplande regeringsproject voor een 'beschermd waterlandschap' in Pondoland was geen oplossing voor de zandduinen aan die kust. Het voorzag alleen in bescherming van de rivieren. Het onder Australische vlag opererende ontginningsbedrijf kan zijn plan om twintig kilometer duin op te blazen gewoon doorvoeren. Met Thapelo en Derek, omgeven door een papierzee van stafkaarten en hun eigen aantekeningen uit het veld, zat het team aan tafel met vertegenwoordigers van Earthlife Africa en de Wildlife and Environmental Society om het spoor van tegenstrijdige uitspraken te volgen, een palimpsest over datgene wat voor hen lag.

'De minister schuift alle verantwoordelijkheid af. Luister hier maar weer eens naar. Milieuzaken: "De minister blijft gekant tegen de mijnbouw, en staat achter het ecotoerisme in dat gebied. Maar uiteindelijk ligt de beslissing om aan de Wild Coast mijnbouw te plegen bij de minister van Grondstoffen en Energie." Ja-nee.' Derek knikt ja en schudt nee.

'Dat ontginningsbedrijf moet inmiddels voor de Australiërs de aanvraag hebben ingediend bij Grondstoffen en Energie. Het ministerie laat het sloffen. Terwijl de zaken zo staan en de spindoctors van het ontginningsbedrijf aan het lobbyen zijn, daar kun je donder op zeggen, moeten we ze op de huid blijven zitten. Ze bestuderen de projecten voor het natuurpark in Pondoland, om "in te schatten" zeggen ze, in hoeverre het hun mijnbouwplannen zal beïnvloeden, maar dat is onzin, shaya-shaya; hun hoogste baas heeft al gezegd dat de voorste duin- en riviersystemen altijd al geïsoleerd zijn van de mijngebieden – niet dus.' Thapelo hijst een van de stafkaarten als vlag.

De frustratie bereikt het kookpunt. Paul wuift met zijn hand over tafel alsof hij de hitte wil verdrijven. 'Lobbyen, dat is maar één deel van de tactiek. Omkoping brengt ze dichter bij hun doel. De optie die ze een bedrijf met een zwarte directie hebben gegeven dat juist die groeperingen vertegenwoordigt, de traditionele leiders op wie we rekenden, de mensen bij wie wíj hebben gelobbyd om te protesteren tegen het misbruik van hun land, het bedreigen van hun bestaan. Een aandeel van vijftien procent in het mijnbouwcontract: tien miljoen dollar. Tien miljoen! Hoe verdeel je dat onder – hoeveel mensen? Niet dus. Dat worden aandelen op de beurs. Maakt niet uit. Het is een torenhoog bedrag.' Zijn ronddraaiende ogen hou-

146

den waarschuwend stil bij Thapelo, die niet uitgesloten mag worden. De begeerte naar de macht van het geld is ook een kenmerk van blanken; menselijke verlokking maakt in elk geval geen onderscheid. Het verschil is dat die macht al heel lang alleen aan blanken was voorbehouden. 'Wat betekent dat voor het protest tegen de tolweg die hun habitat kapot zal maken, de mijnbouw die de duinen in dat gebied zal verwoesten? Dus? Misgunnen we de zwarte boeren een aandeel in de economische groei? Mogen zij daar niet van profiteren? Mogen ze niet meedoen aan onze gemengde economie? Wat is ons antwoord daarop.'

Thapelo kruist zijn armen en laat met een klap zijn handen op zijn bovenarmen neerkomen. 'We moeten ermee leren leven, jongen. Gevoelige rassenkwesties zijn hier niet aan de orde, man. Het grote geld weet hoe het ons moet inpakken. Natuurlijk is er een verband, een deal tussen de tolweg en de mijnbouw. Laten de goederenmarkt en de regering dat maar eens ontkennen, het bij hoog en bij laag zweren. Je hebt toch gezien dat het National Road Agency zegt dat met die nieuwe weg de vervoerskosten lager worden; dat is belangrijk voor de mijnproducten, om het spul naar de hoogovens te brengen.'

'En uiteindelijk voor de aandelenhandel over de hele wereld.'

'En de aandeelhouders van tien miljoen, die langs de snelweg wonen. Wie krijgt het dividend?'

'De *makhosi*.'

Paul ging van de discussie over naar de besluitvorming. 'We zitten nog maar een paar maanden van de deadline af om bezwaar te maken tegen het mijnproject. Coördineer een actie met alle organisaties en groeperingen, krik de steun van overzee op.' (Het jargon van Berenice komt handig uit, een onbekend wapen.) 'Word wakker, man! We laten een geducht gezelschap van milieuactivisten aanrukken als waarnemers – niet die slappe hap die we eerst hadden – we laten popsterren songs voor ons schrijven, *Come rap for the planet*, om te bewijzen dat ze goede wereldburgers zijn. Beroemdheden zijn tegenwoordig wel te porren voor de goede zaak.'

'Cool, man!'

Misschien wisten ze op haar reclamebureau precies hoe ze dit moesten aanpakken, nu het een gewone publiciteitscampagne dreigde te worden.

Lyndsay had een berichtje ingesproken op zijn mobiel, een van de vele in de rij. De belangrijke belde hij terug, maar die van haar vergat hij. Ze belde weer, wilde even zeggen dat ze vanavond zin had om langs te komen, als Benni en hij thuis waren; ze had hen al een week niet gezien. Ja, kom eten. Nee, ze kwam na het eten, op de koffie. We drinken nooit koffie na het eten, mam, dat weet je toch, en jij ook niet. Gelach. Een wijntje dan, prima.

Zijn moeder arriveerde na negenen, zonder te erkennen dat ze later was dan verwacht en met de zelfvoldane houding van iemand die haar bezigheden tot tevredenheid heeft afgerond. Benni stelde zich met de wereldwijsheid van Berenice de tolerante vraag of Lyndsay misschien een man had gevonden die haar aantrekkelijk vond; ze ziet er ondanks haar leeftijd nog goed uit. Zulke dingen gebeuren. Moeder en zoon dronken een glas wijn, Benni legt om de een of andere reden haar hand over het glas dat Paul bij haar heeft neergezet. Zeker weer zo'n nieuw dieet dat ze zichzelf heeft opgelegd, waar stevig reclame voor is gemaakt. Er staat aquavit in de kast, waar ze erg van houdt, maar de associatie met Scandinavië is misschien wat ongelukkig.

'Ik wil het je al een paar weken vertellen, maar er zijn wettelijke haken en ogen, nog steeds, het heeft geen zin om op de uitspraak de wachten. Ik heb een keer een maatschappelijk werkster uitgenodigd voor de lunch, weet je nog, die had getuigd in een van mijn zaken. Die had me vondelingen laten

zien – kinderen in een tehuis. Nou, ik ben daar naar teruggegaan, een paar... een aantal keren. Ik voelde, ik weet niet, er
was daar een kindje, een meisje, een jaar of drie volgens de
kinderarts, dat weet je nooit precies met vondelingen, en zij
reageerde op mijn komst, op mijn aanwezigheid. Ze werd
zeven maanden geleden door de politie binnengebracht, toen
was ze dus een jaar of twee. Ze is verkracht en hiv-positief. Ze
moesten haar... (Lyndsay, altijd professioneel, nooit aarzelend, precies – handen opgeheven – niet wetend hoe ze dit aan
anderen duidelijk moet maken)... reconstrueren... operaties... weken in het kinderziekenhuis. Die operaties zijn
blijkbaar geslaagd, voor zover ze dat bij zo'n jong meisje
kunnen zeggen. Daarna werd ze weer aan het tehuis overgedragen. Ze zijn blij, de begeleiders daar, als ze je betrouw-
baar vinden, wanneer je een van de bewoners – de kindjes –
trakteert op een uitje. Dus ik heb haar meegenomen naar de
dierentuin. Je moet Nickie het pasgeboren babyzeehondje
laten zien – ze was helemaal door het dolle heen. Ik heb besloten dat ze niet meer in een tehuis mag wonen, hoe goed het
ook is. Er worden weinig kinderen met hiv geadopteerd. Het
tehuis heeft haar al afgestaan. Ze woont nu bij mij. Ik ga haar
adopteren.'

'Wát heb je gedaan?' Hij is op een plek in Lyndsays leven
gestuit die voor hem op slot zit. Kan haar daar niet zien.

'Ik ben 't aan het uitzoeken. Een hele ervaring.' Ze trekt
sereen haar wenkbrauwen op. 'Primrose is helemaal verrukt,
dat snap je. Zij is de baas als ik op kantoor ben of in de
rechtszaal.'

Zijn moeder laat ruimte voor stilte, zodat Paul en Benni/
Berenice de gedane zaken kunnen verwerken. Haar zoon is
samen met haar in quarantaine in de tuin, ze zijn standbeelden,
gedenktekens van hun leven daar. 'Maar hoe zal Adrian... En
Adrian dan?'

Ze is alleen met Paul. Sinds de quarantaine blijft deze

omstandigheid altijd bestaan, los van de aanwezigheid van anderen.

Woedend gooide hij de woorden eruit.

'En Adrian dan.'

Op een zaterdag ging ze terug naar het kindertehuis, toen ze in een winkelcentrum langs een speelgoedwinkel was gelopen en zich had laten verlokken door een etalage vol antropomorfe beren, apen en luipaarden in spijkerbroek. Nickie had ook zulke knuffels; wel had ze, in gezelschap van haar fantastische gids naar hun realiteit, een klimrek gezien waar de naamloze kinderen overheen klauterden, maar hadden ze ook zulke knuffels, zulke persoonlijke schatten? Ze kocht er een paar en leverde ze af in de sloppenwijk waar het tehuis was. De kinderen die oud genoeg waren om te kunnen lopen of in elk geval zitten, zaten te eten aan tafeltjes die aan hun lengte aangepast waren. Een meisje dat ze van haar eerste bezoek herkende, sprong op, zodat de onbestemde brij op haar bord omkieperde, en kwam aanrennen, recht op het speelgoed af, niet op de vrouw. Ze nam de tijd, staarde naar de beer, de aap, het luipaard, en koos weloverwogen de aap. Andere kinderen scharrelden luidruchtig rond.

Was het dom om een paar luxe speeltjes mee te brengen in een groep – hoeveel had Charlene ook weer gezegd – van ruim dertig baby's en peuters; het aantal varieerde nogal omdat sommigen doodgingen en enkele, gezonde kinderen misschien geadopteerd zouden worden. Zouden ze vechten om het bezit? Het bekende meisje was met haar aap weggerend. Goede bedoelingen konden wel eens een verkeerde draai krijgen.

Een week later kwam ze terug, niet met cadeaus, die zeker problemen zouden opleveren, misschien een betwistbaar privilege creëren – moeilijk voor te stellen dat een kind dat niet zou hebben, binnen de democratie die op zo'n plek een noodzaak is – maar om te vragen of ze het meisje dat de aap had opgeëist mocht meenemen naar de dierentuin om echte apen te zien. Het meisje zat al maanden in het tehuis, werd haar verteld, een naamloos vondelingetje, niet oud genoeg om te weten of ze wel een naam hád; de staf noemde haar Klara. Naarmate ze de trekken van het meisje beter leerde kennen, die haar maakten tot wie het dan ook was, werd haar het prachtige mysterie van de persoonlijkheid ontvouwd (ze kon het niet mooier voor zichzelf formuleren), hoe die tot uiting kon komen in de vorm van de neus, de verschuivende lijn van de lippen tijdens het praten (dit mensje praat veel, een on-samenhangende samenhang van de een of andere Afrikaanse taal die zij in elkaar had geknutseld toen ze leerde praten, en het Engels dat ze had moeten leren van de blanke Heilsoldaten die voor haar zorgden.) Hier was een klein wezentje dat zichzelf schiep. De chique vrouw, misschien een politica of zo, die terugkwam nadat Charlene haar had gebracht, werd een be-kende van de vrouwelijke majoor van het Leger des Heils; zij mocht Klara, die bofkont, weekends mee naar huis nemen. Toen werd ze officieel pleegouder en kwam Klara onder haar hoede. Er kwam een bed, een plek vrij voor een ander kind, niet geboren in een kribbe, maar in een openbaar toilet. Beter maar niet vragen hoe het verder moest met het meisje als de mevrouw genoeg van haar had. Lyndsay wist namelijk ook niet hoe het verder moest. Voor zichzelf; voor het kind; intussen verzweeg ze haar logé? pupil? voor Paul en zijn gezin.

Ze wantrouwde haar eigen motieven. Daarna deden ze er niet meer toe; de vreemdeling met haar uitgesproken persoon-lijkheid, geen vreemde meer, deelde samen met haar een leven. Ze kon terecht op een crèche, waar ze elke morgen door Lyndsay onderweg naar kantoor werd gebracht, en 's middags zorgde Primrose ervoor dat ze vloeiend bleef in een moeder-taal. Lyndsay vertelde een collega dat ze voor andermans zwarte kind zorgde; zulke tijdelijke situaties kwamen wel meer

voor in het persoonlijke sociale geweten van hun advocaten-
praktijk – in elk geval tijdens de apartheid, toen cliënten die
terecht moesten staan na aanklachten wegens verraad soms
geen andere keus hadden dan hun kind alleen achter te laten.
Er was een gerede kans, zei de kinderarts door wie Lyndsay het
kind liet onderzoeken, dat haar hiv-status binnen korte tijd zou
verbeteren: het gehalte gezonde bloedcellen ging bemoedi-
gend omhoog. Alleen bij kinderen was zo'n gratie mogelijk.
En zo kwam er een tussentijdse beslissing: niet verder kijken
dan hier. Ze schreef weer zo'n brief met veel witregels die
Adrian en zij wisselden, zoals de formele briefjes naar tantes
en dergelijke die je op school leerde schrijven, waarin ze vertelde dat Paul vanuit een helikopter de vreselijke overstromingen in de Okavango in kaart bracht en over de vorderingen van
Nicholas, die leerde crawlen in plaats van op zijn hondjes te
zwemmen, die al bijna tot vijfentwintig kon tellen en woorden
begon te herkennen in verhaaltjes. (Haar eigen verhaal: Klara,
die al rode en witte kraaltjes aan een draad kan rijgen, die je
moet afhouden van haar pogingen om in de jacaranda in de
tuin te klimmen, die per se met een vork wil leren eten met haar
tweeënhalf of drie jaar.) Voor iemand die bekend is met dit
soort dingen bestaat het onderzoek bij adoptieprocedures gewoonlijk uit jezelf ervan te vergewissen of het kind niet beter af
is in een huis waar het tussen broertjes en zusjes en een vader en
moeder kan opgroeien. Ze kon zich niet precies het moment
herinneren waarop zij zelf de aanvrager van adoptie was geworden, die zichzelf daarvan moest vergewissen. Het is geen
eenvoudige procedure, zelfs niet als de ouders van het kind
onbekend zijn, en het door onbekenden is achtergelaten. Maar
het werd tijd om haar zoon en zijn gezin in te lichten.

Moest ze Pauls moeder vragen of ze het kind meebracht als ze
zijn huis bezocht; waar Nickie ook was? Lyndsay, de respecta-
bele advocate en 'rationalist' (Berenice is een van die verarmers

van de moedertaal door wie deze benaming geen enkele kracht meer heeft, zoals niemand meer aanstoot neemt aan het woord 'kut') besluit niet alleen op haar leeftijd en in haar situatie nog een klein kind te adopteren, maar ook nog eens een kind dat besmet is met de Ziekte. Is het nu echt wel zeker dat besmetting alleen kan worden overgedragen via seksueel contact of bloed? Als die door bloed wordt overgedragen, wat gebeurt er dan als twee kinderen samenspelen en ze lopen schrammen op? Nickie is een wildebras, hoe klein hij ook is. Benni/Berenice – je moet niets uitsluiten – besluit tactvol om zulke bezoekjes tegen te houden tot Paul weer thuis is. Ze kent Lyndsay goed genoeg, in de verandering die de situatie met Adrian op een bepaalde manier heeft teweeggebracht, om te denken dat Lyndsay het wel zal begrijpen en het niet tegen Paul zal zeggen.

'Het kind is toegelaten op een crèche.' Hij lijkt op zijn moeder, is afhankelijk van bewijzen, of het nu om een milieukwestie in de rimboe gaat of om hun persoonlijke leven.

'Niet alle crèches doen dat. Was er niet ooit een rechtszaak – een vrouw die een advocaat in de arm nam omdat haar kind geweigerd werd? Het argument van de crèche was dat peuters bijten als ze driftig zijn.'

'Hoe oud is dat kind?'

'Dat weten we niet zeker. Een jaar of drie. Dat zien ze aan de tandjes, denk ik, maar bij de een komen ze sneller dan bij de ander. Nickie was vroeg.'

Benni was niet erg verbaasd, niet zo beduusd als hij, zag hij, toen zijn moeder het vertelde, vlak voordat hij naar de overstroomde Okavango ging; een beeld dat hij niet kon uitwissen, dat zich had vastgezet op zijn netvlies. Hij kon de handeling niet rijmen met Lyndsay. Ze was nooit bijzonder gek op kinderen geweest, leek het, had een soort afstand gehouden, ook tussen zichzelf en de vier die zij had gedragen (had Adrian vooral kinderen gewild, maar liet hij ze nu aan haar over?) en ze was geen kirrende oma die tuttelde met haar kleinkinderen, hoewel ze met Nickie goed kon opschieten; hij was dol op zijn speciale vriendin.

Benni bleek zijn verwarring nogal amusant te vinden. De wildernis is een onschuldige omgeving, ongeacht wat hij daar verder ook blootlegt. Hij weet niet wat er in de werkelijke wereld omgaat. Weet niet dat het erg in is om een zwart kind te adopteren, of een weeskind uit, zeg, Sarajevo of India. Ze zou hem kunnen vertellen dat het iets bewijst. Maar in het geval van Lyndsay zou ze niet weten wat.

Ze weet dat hij niet zal protesteren – wat Lyndsay besluit is naar zijn overtuiging altijd goed. Voor Nicholas: hij neemt geen besluit voor Nicholas. Ze moet, ze wil – klootzak, dat hij zijn kind niet op de eerste plaats zet, boven alle weeskinderen van de wereld – hem uitschelden, maar ze doet het niet. In dit leven dat ze bijeen hebben geraapt na zijn thuiskomst, wereld-vreemd, is er nog steeds onderhuids iets tussen hem en de vrouw die zijn moeder is waar niemand tussenkomt. Hij is nu bij haar in de slaapkamer, maar de verbinding is verbroken.

W at ze ook wilde bewijzen door op oudere leeftijd, in haar eentje, een meisje te adopteren dat misschien zou sterven en wier lichamelijke mogelijkheden om op te groeien met het geboorterecht van een vrouw, clitoris, schaamlippen en vagina, ondanks de kundigheid van de chirurgen zeker beschadigd waren, toch is de keuze van zijn moeder niet gemakkelijk. Dit slimme, bekoorlijke kind heeft een eigen willetje dat haar lengte en geschatte leeftijd ver te boven gaat. Ze is manipulatief, vol praatjes in de schijnwerper van opge-eiste aandacht, en zit het volgende halfuur kwaad kniezend in een hoekje. 'Door en door stout.' De pleegmoeder-grootmoe-der lacht, door haar ergernis heen.

Wie weet achtervolgt het virus dit kind heimelijk, zoals woekercellen zich misschien nog ergens in zijn bloedbaan ophouden. Zijn moeder is een oude rot in het interpreteren van prognoses, hield toezicht op het verloop, hetzij negatief of positief, in de quarantaineperiode, zíjn quarantaine. En net als toen vestigt ze, creëert ze op de een of andere manier een normale situatie in deze andere onwelkome metamorfose van een familie – bij afwezigheid van Adrian wordt er een ander wezen toegevoegd – uit een onzekere, onopgeloste toe-stand. Dat is immers een voorwaarde voor het leven, zoals je ongetwijfeld wel weet uit hoe het milieu de dingen oplost? Nee? Compenseert ze het gemis, het verlies van Adrian – komt hij terug? Straft ze Adrian door te bewijzen dat ze gedurfdere keuzes maakt dan hij, door het ongegeneerd tentoonspreiden (niets minder dan dat) van een extreme morele keuze, het adopteren van een kind, geen weeskind, maar erger nog, een vondeling, en nog een stapje verder van menselijke tot onmenselijke daden: een slachtoffer van verkrachting, besmet met hiv, terwijl ze nog in een staat van totale onschuld verkeert. Wil zijn moeder aandacht trekken? Zoals de aandachttrekkerij, de woedeaanvallen, de uitdagingen van de flirterige, rondogige, zachtlippige halfbaby een straf zijn voor wie haar ook heeft verwekt, verlaten, haar lichaam opengereten, er een virus in geplant?

Lyndsay gaat met Nickie en Klara naar de dierentuin. Klara eist: 'De zeep-hond, de zeep-hond', en Lyndsay verbetert haar. De twee kinderen heffen een klein spreekkoor aan: 'De zee-hond, de zee-hond.' Andere bezoekers glimlachen om deze kleine scène; een aangename manier om hun schuldgevoel over het verleden te verzachten, toen de dierentuin verboden was voor zwarten, behalve één dag in de week, en zwarte en blanke kinderen niet samen zongen.

Voelt zijn moeder Adrians ogen op haar gericht vanuit de fjord – waar of hoe dan ook – vanuit de stratosfeer die zijn afwezigheid vormt? Beschouwt hij die gebeurtenissen rond haar als een daad van verzet?

Of denkt ze helemaal niet aan Adrian, in de dierentuin met haar kleinkind en haar kind? Niet wanneer ze met Klara naar het huis van haar zoon gaat in het weekend – leuk voor Nickie om een speelkameraadje te hebben die gewoon bij de familie hoort. Adrian heeft Mexico verlaten. Maar niet om naar huis te gaan. Als ze samen aan tafel zitten, aan de Paul-en-Benni-tafel die de familietafel is geworden nu die door Lyndsay niet meer in het ouderlijk huis wordt gedekt, wordt het besef dat er een stoel onbezet is angstvallig verdrongen. Blijkbaar is het regel dat de beslissing van de vader, van het individu Adrian, wordt gerespecteerd. In de mensenrechten is geen plaats voor overdreven sentimentaliteit, om de reden dat die geen nut heeft, terwijl maskeren dat iets pijnlijk is een betere reden is. Hij is in Noorwegen met zijn vroegere gids. Ze wonen in Stavanger, een van de reizen naar het Noorden die Lyndsay en hij nooit maakten. 'Hilde heeft daar een zuster; ik bewoon een etage in het ouderlijk huis, ik kijk uit op de haven.' Hij schrijft in de eerste persoon enkelvoud, niet 'wij'. Lyndsay moet natuurlijk met dezelfde tussenpozen zijn brieven beantwoorden; heeft ze hem van Klara verteld, schrijft ze over haar? Ze zal toch wel verteld hebben dat ze tot rechter is voorgedragen. Ze wordt binnenkort benoemd. De zoon moet zich inhouden om 'wat zal hij trots op je zijn' er uit te flappen – de vergunning voor de grote emoties waarmee hij tegen haar kon zeggen 'hij hield zoveel van je' was verlopen. Adrian is in Stavanger, hij geniet van zijn pensioen en vermoedelijk schrijft hij op wat hij denkt bij het zien van – hoe was het ook alweer – de opgegraven antieke schatten, terwijl we leven in een tijd met wapens waarmee we onszelf van de aardbodem kunnen wegvagen.

Nickie en Klara kunnen het goed vinden op de rivaliserende manier van kinderen; zij een hele kluif voor de oudere jongen. Maar als hij terugslaat door aan een kwetsbaar attribuut te trekken dat zij bezit en hij niet, haar dreadlocks (Primrose wil ze per se in vlechtjes draaien om het modieuze zwarte meisje mooi te maken), piept ze smekend om hulp, zoals het vriendje dat op het gras werd neergedrukt schreeuwde dat hij door een gogga werd gebeten. Er is verder niets meer tussen Paul en Benni gezegd over de hiv-'status' van het meisje. In feite zorgde dat algemeen aanvaarde eufemisme ervoor dat de zeer geringe kans – onbewezen? – dat besmetting zou kunnen worden overgedragen door het contact van geschaafde knieën uit de wereld werd geholpen. Pas als het gestoei van de twee over elkaar rollende, dartelende kinderen te heftig wordt, dat beslissende moment waarop een bokser in de touwen wordt gedrongen, komen Paul en Benni tegelijk aanrennen om hen uit elkaar te halen. Lyndsay knipt de nagels van het meisje heel kort: vanwege de hygiëne of als voorzorgsmaatregel waaraan zij geen geloof wil hechten?

G oed dan, de dierentuin. Stadskinderen leren dat ze
leven – samenleven – met andere dieren dan honden
en katten. Als Nicholas wat groter is, neem je hem mee op
veldexpedities. Dat duurt nog een paar jaar; de omstandig-
heden zijn niet geschikt voor kleine kinderen, maar een jongen
van elf, twaalf, dat is de juiste tijd. Kinderen zien iets van het
bredere concept van het milieu op televisie – zet Benni echt
natuurprogramma's op voor de jongen, zoals je dat hoort te
doen, in plaats van de verhalen met monsters en helden die hij
beschouwt als zijn speelgoedastronautjes die tot leven zijn
gewekt? Maar dat is wat anders dan het zien, het ruiken
van levende wezens met huid en haar; een dierentuin biedt
daar tenminste de gelegenheid voor. Maar niet alleen in de
tuin van je jeugd wordt vastgesteld, aangekondigd wat bepa-
lend zal worden in de volwassenheid. Er is de buitengewoon
duistere herinnering zoals je die in nachtmerries hebt, maar
die niet door de ochtend, en de tijd, wordt uitgewist: de arend,
in diezelfde dierentuin waar zijn moeder nu een volgende
generatie een uitje bezorgt, ineengedoken op klauwen binnen
de stenen muren en het gesloten dak van een kooi. Een soort
beangstigende voorkennis van wat pas jaren later begrepen,
geweten, gedeeld zou worden: wanhoop. De gekooide arend
als metafoor van alle vormen van isolement, de ultieme ge-
vangenschap. Een dierentuin is een gevangenis.

Benni trekt haar schouders op en laat ze weer vallen, waardoor haar borsten op en neer wiegen. Spelbreker; niet iedereen
kan van de vrijheid van de wildernis genieten. Bovendien
vervalt hij in zwijgzaamheid, trekt zich terug in een andere

wereld, wanneer zij (alweer) voorstelt om naar een van de wildparken van een van haar klanten te gaan, zonder kooien, waar buitenlanders duizenden kilometers voor willen vliegen om er verrukt van te raken. Ze heeft weer geopperd om er even tussenuit te gaan, deze keer met zijn moeder en Klara, zo'n weekendarrangement waar het bureau voor adverteert, in van die prachtige semi-natuuroorden. Zijn enige, wat verstrooide reactie is dat de kinderen te jong zijn om uren in een jeep rondgereden te worden. Daar heb je Japans uithoudingsvermogen voor nodig. Waar Benni om moet lachen. Gezegend de – wat zijn hun goden? – voor de Japanners, de hoeksteen van onze toeristenindustrie!

Er is een plek waar de arend die hij niet vergeten is, zijn soort, vrij rondvliegt. Het is een uitje, niet zo ver, voor de kinderen, het gezin, bij wie deze vader wel iets goed te maken heeft omdat hij veel te vaak weg is, in zijn wildernis.

De zwarte arend, *Aquila verreauxii*, broedt sinds 1940 op deze rots boven een waterval. Deze zeer territoriale vogel, met een gewicht van ongeveer vijf kilo en een spanwijdte tot 2,3 meter, is een van de grootste en meest majestueuze arenden van Afrika. Het zwarte arendspaar in het Roodekrans-reservaat kan men het hele jaar door zien. Ze brengen hun dagen door met jagen, zeilen, intimidatiegedrag of zittend op hun favoriete broedplaatsen, waar ze rusten en hun veren gladstrijken. Ze voeden zich met klipdassen, hazen en parelhoenders. De broedcyclus begint in maart/april, als een van de twee nesten gebruikt wordt in een bepaald broedjaar. Met takken wordt een nestkom gebouwd, die met bladertakjes wordt voltooid. Zo krijgt de kom een zachte voering voor het leggen van de eieren, wat gewoonlijk in mei plaatsvindt. Het mannetje voert spectaculaire baltsdansen uit tijdens het bouwen van het nest. Het paar blijft hun hele leven bij elkaar en zoekt alleen een andere partner als er een doodgaat.

Paul las het voor uit een foldertje dat hij bij de ingang van het park – half botanische tuin voor inheemse Afrikaanse soorten, half natuurreservaat – had opgeraapt. De twee kinderen luisteren niet en begrijpen het niet; de informatie is voor hemzelf: Lyndsay en Benni, Nicholas en Klara zijn nu eenmaal altijd opgewonden aan het begin van een excursie. Weten ze wat een arend is? Jullie gaan een héél grote vogel zien. Lyndsay probeerde de opwinding toe te spitsen, maar de aandacht van de twee, voor wie de wereld van de natuur nieuw is, was breed en laag gericht: ze moesten felgekleurde vlinders vangen en Nickie zag ineens een rups die leek op de aaneengekoppelde wagentjes van een speelgoedtrein. Paul pakte hem voorzichtig van een blad op, maakte het knuistje van de jongen open en legde hem zachtjes neer op zijn handpalm, onder protest van Berenice. Maar hij richtte zich tot Benni, de moeder van de jongen. Hij moet leren om niet bang te zijn voor alles wat geen mens of huisdier is. Maar als het nou een schorpioen was? Dat hoort bij de kennis: leren te herkennen wat gevaarlijk is en wat niet.

Vaardigheden voor het leven – die term zou ze wel begrijpen. Maar hij verwacht – of eist – van niemand dat hij begrip heeft voor wat hij in simpele bewoordingen heeft kunnen zeggen, zonder zijn vakjargon, dat dat simpelweg de basis vormt van wat hij doet, en dat dit ecologie heet.

Lyndsay blijkt meer van de vreemd gevormde planten te weten dan hij. Men zei van dat soort groeisels altijd dat het leek alsof ze van de maan kwamen, maar nu weet men dat er niets groeit op de maan; je kunt geen vergelijking maken met niets. Ze kan vervangende namen noemen voor bladeren als billen; voor een woestijnsoort uit Namibië, een olifantachtige grijze klomp, die water in zijn lichaam opslaat om zich in de lange, droge jaren mee te voeden. In de periode dat er onderhandeld werd over de onafhankelijkheid van Namibië was ze daar met een team van juristen, en Sam Nujoma * zelf had geregeld dat ze meekon naar de woestijn – niet dat Paul of zijn vrouw weet of zich waarschijnlijk herinnert wie de eerste president van de soevereine staat was.

Er is altijd een aspect dat losstaat van het geheel van ervaringen, professioneel of anderszins. Het onderhandelingsproces dat is opgenomen in de geschiedenis-als-herinnering; elk vreemdsoortig groeisel heeft een identiteit, voor iedereen beschikbaar, en een naam.

Terwijl het familiegroepje verspreid over de paadjes naar de waterval zwerft, kun je het in het geruis horen, maar niet zien: *ik dacht dat je zou zeggen dat je bij me wegging.*

(De kinderen die achter elkaar of achter de vlinders aan rennen botsen tegen volwassen dijen alsof het boomstammen zijn.)

Dat alles komt voort uit die toestand, en waarom ook niet; zo definitief was het toen immers. Maar het kwam er niet van, het weggaan. Eeuwig trouw. De relatie is voorbij. Zaak gesloten, lange jaren niet meer heropend. Ik ben vijfenzestig nooit gedacht dat zoiets kon gebeuren het is Hilde en mij overkomen. Het gekozen kind, zwart, geschonden, geïnfecteerd, naamloos – nog iets wat is gebeurd. Een van de toestanden van het zijn. Paul tilt om beurten een kind op en zwaait het al lopend rond; de zoon is uit de quarantaine gekomen en lijkt bezit te hebben genomen van een nieuw soort zijn.

Plotseling zien ze een zilveren lint dat zich van de rotswand naar beneden slingert. De kinderen vinden het blijkbaar niet zo bijzonder; misschien leek het voor hen op badwater dat met kracht uit een reusachtige kraan stroomt. Toen ze dichterbij kwamen, rees de rots, diep uitgesneden tot een smalle ruwe spleet naast de waterval, zo hoog op dat hij de hemel verduisterde: *tot hier en niet verder.* Er was een vlak stuk gras tussen ruig beboste heuvels aan weerskanten, voor het meertje waarin het water neerviel en tot bedaren kwam. Nu stortte het zich witschuimend, in snelle, dikke strengen omlaag; sommige sprongen dun op en vielen apart naar beneden, chiffon van verdwaalde nevel, het waterstemvolume opengedraaid tot een alles wegvagend gesuis in je oren. Klara danste rond met haar handjes om die van haar geklemd. Ach, het is niet de Niagara, maar toch best indrukwekkend. Benni, prijzend, tegen Paul, alsof hij dit spektakel zelf had gemaakt.

Hij moest de arend vinden. Troepen kleine vogels vlogen verspreid boven de rots. Steeds weer tuurde hij naar de rots en ontdekte de twee nesten, als die lukrake verzamelingen droge zwarte takjes op uitstekende richels dat tenminste waren. Benni had haar beurt afgewacht om door de bezoekerstelescoop te kijken en meldde dat de mensen om haar heen bevestigden dat het inderdaad de nesten waren. Terwijl hij zijn ogen scherpstelde op wat slechts een hoopje tuinafval leek, werd zijn blik plotseling omhooggetrokken en zwenkte hij naar iets wat het zicht in zijn linkerooghoek versperde. De arend, niet in wanhoop ineengedoken zoals daarginds, met zijn enorme zwarte vleugel als een glanzend zeil. Paul riep naar de anderen, de moeder, de vrouw, en met zijn benen stevig op de grond, terwijl zijn hoofd een kromming in zijn rug maakte, volgde hij de vlucht van de arend, machtig genoeg om de lucht uit te dagen, groot genoeg om die te evenaren. De arend, nu eens een uitgevouwen zwarte mantel, dan weer een immens grote zwarte papieren vlieger hoog zwevend door de lucht, voerde een arabesk op met een andere; ze beschreven al duikend en opvliegend grote cirkels, een enkel ogenblik verblindde een van de uitgespreide vleugels zelfs de zon, zoals de hand van een man boven zijn ogen dat kan. Er was een witte flits toen de onderkant van deze luchtacrobaat werd onthuld, maar het met veren bedekte lichaam, evenals de scherpe kop nauwelijks zichtbaar, was van geen belang: het meesterschap van dit dier bestond uit zijn vleugels. Lyndsay zag als enige de bladertakjes, zoals in het foldertje stond, rechts op het rommelige nest – vanuit het gezichtspunt van de kijker, niet van de vogel. De zwarte vleugels bleven maar zeilen en duiken tegen fletse lucht. Toen zette een daling in; het allesoverstijgende meesterschap van de arend was verdwenen, ineengeklapt tot een vogel. Terwijl hij zich klaarmaakte voor de landing op het nest, dat vast veel te klein voor hem was, leek hij zich bijeen te rapen, bijna ineen te vouwen, alleen kop en snavel opgericht. De kop deed in de lucht niet terzake. Alleen de vleugels. Ze leken slechts geleid te worden door de intelligentie van hun eigen snelheid, macht over lucht en ruimte. Paul drong naar voren in het groepje bij de telescoop. Een kop keek hem recht aan, dichtbij gekomen door de lens. Een platte zwarte kop, met daarin de grote zwarte glanzende bollen, de ogen, goudgerand. Tussen deze bollen een breed wit kromzwaard, met aan het eind een zwarte haak. Een neus een snavel – het is onmogelijk de trekken van een gezicht als totaalbeeld te zien – als dit levende wezen al een gezicht heeft, wordt dat waargenomen als een bepaalde gelaatstrek. (De mond van een vrouw, die ziet hij altijd.) Dit wezen dat arend heet draait zijn kop; en profil is nauwelijks te zien waar de kop eindigt en de nek begint, en de brede schouders van de vleugels bevestigen de omschrijving: de sterk gekromde snavelneus, zintuig en wapen. Waarom wordt de kromme neus van Semieten, de joden en Arabieren, lelijk gevonden door andere volken, terwijl die door de soorten heen verwantschap heeft met de schitterende adelaar? Nu installeert het opgevouwen, zelfgetemde schepsel zich op zijn procrustesbed van takken, waarvan er enkele vallen als de klauwen (voor het eerst zichtbaar) zich strekken en intrekken om houvast te krijgen; door de soorten heen lijken ze op de knokige, gecracqueleerde handen van stokoude mensen, maar ze bezitten een kracht die zulke handen nooit hebben gehad.

Lyndsay heeft de kinderen, aan elke hand een, meegenomen naar het lage houten hek aan de rand van het meertje. Is het geruis luider, of wordt het gedempt door de overhangende rots en het besef van de samendrommende heuvels? Net als de onwaarneembare nevel omgeeft het haar, in plaats van door te dringen tot haar oren. Er was een diner ten huize van een rechter wiens collega ze binnenkort wordt; ze kreeg een plaats toegewezen aan tafel, zoals gasten die alleen komen naast een andere kennelijk alleenstaande gast worden gezet, volgens de man-vrouw tafelschikking. Hij is een gepensioneerde rechter uit een andere streek – ze wordt natuurlijk niet aan een jonger iemand gekoppeld. Het gesprek gaat over politiek, de laatste verkiezingen en de benoeming door de president van een vrouw tot minister van Justitie. Als de man mocht denken dat zijn buurvrouw blij is met de benoeming omdat zij zelf een vrouw is, zal hij ongetwijfeld voor een verrassing komen te staan. Haar bijdrage tot het koor van commentaren boven de borden en het bloemstuk: 'Ik prijs de minister niet omdat ze een vrouw is en ik dat ook ben, maar omdat ze uitzonderlijk goede papieren heeft voor deze portefeuille. Als het een man was geweest met dezelfde kwaliteiten, zou ik het glas op hém heffen.' Er werd gelachen en bravo geroepen door verscheidene van de mannen, en één vrouw wierp een snelle afkeurende blik op haar. Maar niemand kon het standpunt van de kandidaat-rechter over de mensenrechten in twijfel trekken.

Klara en Nicholas rukken aan de spijlen van het hek en moeten tot de orde worden geroepen. Klara is kwaad: Zwemmen! Zwemmen! Een nieuw woord, geleerd tijdens de zwemlessen die ze samen met Nickie had. Twee kleine jongetjes laten donkere magere elastiekbeentjes vanaf de kant in het water bungelen, hoewel er een bordje staat dat dit verboden is, een verbod dat wordt genegeerd door het drietal vrouwen, twee gesluierd, aan wie ze toebehoren. Zinloos om uit te leggen, zelfs aan Pauls zoon, dat niets deze habitat mag verstoren. Klara is begonnen bladeren te rapen en ze in de richting van het water te gooien, maar gooit gelukkig steeds mis.

Waarschijnlijk was het de opmerking over de benoeming van de vrouwelijke minister die een grotere belangstelling bij hem opwekte voor zijn tafelgenote, met wie hij een vrijblijvend gesprekje had gehad voordat het onderwerp de gemoederen van de gasten begon bezig te houden. Moet geweten hebben dat ze rechter zou worden – voorzorgsmaatregel van de gastheer tegen pijnlijke vragen als 'En, wat doet u?' Hij had ook iets opgepikt, een van die nuttige flarden waarmee een gesprek begint. En u bent geïnteresseerd in archeologie; dat soort afleiding heb je nodig als je rechter bent, dat weet ik maar al te goed. Nee, dat was haar man; en aangezien de echtgenoot niet op de plek van de gepensioneerde rechter zat, volgde de luchtige verklaring: hij bezoekt opgravingen in Mexico. De geanimeerde politieke discussie die volgde maakte een eind aan dit onderwerp.

Algauw bleek dat zij een gemeenschappelijk standpunt huldigden over de rechtspraak in hun veranderde land, met de boeiende omstandigheid dat hij terugkeek op zijn verleden als rechter onder de apartheidswetten en zij haar functie zou beginnen in een democratie. Zeventig dus, of een jaar of twee ouder; deed geen poging resterende slierten grijsblond op het kale hoofd over een hoog voorhoofd te kammen. Lang, kaarsrecht, had kennelijk nog zijn eigen tanden. Hij zat tegenover haar aan andere tafels, in de restaurants waar hij haar later uitnodigde om met hem te gaan eten. Ach, waarom niet. Hij is een collega met belangstelling voor toneel en exposities buiten zijn succesvol afgesloten loopbaan, geen roeping, slechts een plezierig tijdverdrijf voor een heel leven. Hij praat over zijn vrouw, die twee jaar geleden is overleden. Met de openheid die geen vrijpostigheid toelaat met iemand van haar soort, een vakgenoot, heeft ze hem eerlijk verteld dat ze gescheiden leeft van Adrian Bannerman. Hij stelt geen opdringerige vragen.

Nu hoort ze van een vriendin dat hij met haar wil trouwen. Gisteren pas, tijdens een telefoongesprek met een vrouw voor wie de telefoon een biechtstoel is voor haar eigen intieme beslissingen en haar obsessie met die van anderen. De man 'is verliefd op haar'. Op zijn leeftijd, ouder dan vijfenzestig, gebeurt zoiets, kan zoiets gebeuren. Ze hebben niet met elkaar geslapen.

Ze tilt Klara op, deze gebeurtenis van haar, gebeurd, gekozen, om het kind af te leiden, wijst op een grote zwarte vogel die daar op het randje van de rots balanceert.

Met haar trouwen. Word je weer maagd voor een oudere man? Daarom is er eerst een gerucht, als voorbereiding op de onverwachte hartstochtelijke zoen in plaats van het beschaafde welterustenkusje tussen nieuwe vrienden, en ze liet hem begaan – nou, geef toe, ze vond het best lekker – en gaf de fles goede wijn de schuld die ze bij het eten helemaal hadden opgedronken. Voor hem niet toe te schrijven aan wijn, maar als blijk van vertrouwen in zijn kunnen – nog steeds – als minnaar. Het idee van een huwelijk is een soort delicatesse, een aankondiging, omdat ze niet jong meer zijn, van hun liefdesrelatie.

Klara probeert zich los te wurmen; ze is niet geïnteresseerd in iets wat je niet kunt vastpakken, ver weg.

Het water maakt zo'n kabaal dat je er bijna tegenin kunt schreeuwen zonder dat iemand je hoort. Niet hier in het reservaat, en ook niet in Stavanger.

Middelbare dwaasheid – hoe oud, in de veertig. Maar onze tijd erna, en de laatste keer, wanneer die ook was. Adrian.

De laatste man die in me was.

Eeuwig trouw.

Klara glijdt omlaag, los van dat lichaam.

Zijn moeder voegde zich weer bij Paul, die zijn vrouw nog meer informatie voorlas uit rondslingerende blaadjes die hij op een bank had gevonden. Twee eieren maar, meer leggen ze niet. Die komen volgende maand, in juni. Het eerste ei wordt een week later gevolgd door een tweede broedsel. Twee kuikens, ook wel Kaïn en Abel genoemd. De eerstgeborene, Kaïn, is al gegroeid als Abel uit het ei komt. Kaïn en Abel vechten, en meestal wordt Abel door Kaïn gedood en uit het nest gegooid. De overlevende wordt door beide ouders gevoerd tot omstreeks december, wanneer hij kan vliegen... Na vijf jaar pas volwassen en een zwart verenkleed... Tijd voor de arend om zijn eigen partner en territorium te zoeken.

Kaïn en Abel. Maar als een van de kuikens nou een vrouwtje is – je kan zo'n vogel toch moeilijk een hennetje noemen.

Benni/Berenice heeft gelijk. Lyndsay oppert: 'Die zal ook wel uit het nest worden geschopt. Zo behoud je het natuurlijk evenwicht, toch, Paul? – niet te veel en niet te weinig vrouwtjes en mannetjes om zich voort te planten. Maar het is wel erg wreed.'

Hij leunt over de reling van een ruw uitgehakte trap in de rots; de taal van de folder in zijn hand schiet tekort om het wezen te beschrijven van de schuwe zwarte entiteit op het bed van dood hout, en van de ander, die in de lucht verdwijnt en terugkeert in de gedaante van een bedreiging of als brenger van alwetendheid, net zoals de stafkaarten en zijn rapporten tekortschieten om de Okavango en de duinen van Pondoland te beschrijven. O, dit gaat niet over de nietigheid van de mens tegenover de natuur. Het romantiseren van wat de mens niet aankan. Kaïn en Abel. De oude bijbel geeft wat dit betreft een aanschouwelijke les over de niet-mensenwereld, de wezens die volgens de evolutionaire hiërarchie te ver teruggaan om een moraal te hebben kunnen ontwikkelen.

Behalve die van het overleven.

Als je midden door dit endemisme, dit botanische wonder, n'swebu, een tolweg aanlegt, en je haalt tien miljoen ton zware mineralen en acht miljoen ton ilmeniet uit het door de zee gevormde zandduinlandschap, is dat dan niet de moraal van het overleven? Is dat niet industrialiseren? En is industrialisa-

tie, exploitatie (alleen in positieve zin) van onze rijke hulp-
bronnen niet gunstig voor de economische groei, het verheffen
van de armen? Wat is overleven anders dan het beëindigen van
de armoede. Dat was de eed die werd gezworen bij de derde
termijn van de democratische regering: de armoede uit de
wereld. Als Abel door Kaïn uit het nest moet worden gegooid,
is dat niet om te overleven in bredere zin. De arend laat het
gebeuren, zijn machtige vleugels kunnen het niet voorkomen.
Overleven. Tien dammen voor één delta die je vanuit de
ruimte kunt zien. Beschaving is in strijd met de natuur, dat
is het credo van wat ik doe, wie ik ben. Beschermen. Behouden. Maar is dat de wet van het overleven? Jij als behouder,
Chef, vertrouw jij de natuur? Coëxistentie in de natuur wordt
op wrede wijze beperkt – Kaïn gooit Abel het nest uit – onder
wezens waarvan wij een van de diersoorten vormen. Het inzicht, opgedaan in de quarantaine van de tuin van je jeugd, dat
de natuur, wat de beschaving ook doet om die te verwoesten,
misschien een oplossing zal vinden in een tijdsbestek dat wij
niet hebben (in de folder staat dat dit gebied ooit een zee was,
ontelbaar veel jaren geleden, nog voordat de rotsen omhoog
werden geduwd), dat inzicht reikt niet ver genoeg. Een smoes.
Wat jij als beschaving beschouwt, door de natuur tegenover het
Australische mijnbouwbedrijf en de tien dammen in de Okavango te zetten, is kinderspel, een fantasie, als je het pragma-
tisme van de natuur onderkent. Het is zinloos om terug te
keren naar de foto van het stukje dons, brokje leven dat Abel
voorstelt, en een oplossing te zoeken.

Het familie-uitstapje is voorbij. Maandag rijdt de jeep terug
naar de wildernis met Derek, Thapelo, volgens het plan om
een week research te doen naar waar nooit, maar dan ook
nooit, een definitieve oplossing voor is. Onder die voorwaarde
gaat het werk door, altijd. Phambili.

Benni kwam naar hem toe, op haar gezicht de vragende
opgewektheid van iemand die zich afvroeg waar hij toch was.

Berenice heeft dus genoeg van de natuur en komt met het voorstel om naar huis te gaan.

Maar als ze op de rots bij hem staat, zegt ze niets. Hun aandacht wordt getrokken door een diepe schaduw boven de bomen, waarvan de lichtere tint en het zonlicht de scherpe contouren van zijn gezicht en lichaam en de hare doen vervagen. De grote stunt van de arenden daarboven, misschien het baltsgedrag zoals beschreven in de folder.

De arenden zijn opgestegen naar grotere hoogten. De takken belemmeren het zicht.

Ze is een trede naar beneden gegaan, achteruit.

'Paul.'

Een teken voor hem om haar te volgen. Hij geeft haar de folder, een aandenken.

'Ik ben zwanger. Nog een kind.'

'Hoe kan dat nou?'

Ze schudt zachtjes haar hoofd, schuldbewust. Niet omdat ze een andere man heeft genomen; hij begrijpt hoe wreed die oplossing is. 'Ik heb 't niet gezegd, maar ik heb geen voorbehoedsmiddelen gebruikt.'

'Maar… hoe lang al?' Als de zwerfcellen nog in zijn lichaam hadden doorgeleefd, waren ze nu misschien verdwenen, het waakvlammetje van dodelijke straling dat hen naar zijn overtuiging had verjaagd, was misschien gedoofd.

'De laatste twee maanden pas.'

'Dus. Wat wil je doen?'

'Wil 't jou vertellen.'

'Dus': dat betekent dat hij iets anders wil, abortus.

Terwijl Berenice misschien huilend was ingestort, wat bij tv-makers erg goed werkt als oplossing van confronterende situaties, wachtte Benni kalm af, alleen haar handen gingen omhoog, de vingers ineengestrengeld, en haar kin rustte op deze vuist – als een smeekbede, als verzet.

Hij kwam niet spontaan naar beneden om haar te omhelzen; hij strekte zijn hand uit de palm breed de gekromde vingers gespreid, en haar handen zakten van haar kin omlaag om zijn hand vast te grijpen, alsof ze uit een gestrande boot of een aardverschuiving getrokken moest worden.

G een epifanie: het leven verloopt langzamer en onver- biddelijker dan welk geloof daarin dan ook. Blijft de vraag waarom zij juist dat moment en die plaats koos om zich uit te spreken. Tja. Dacht ze – kreeg ze moed (wat een hufter om 'zoek maar een andere man' te zeggen) – dat het verhaal over de uitstoting van Abel uit het nest gunstig was voor tijd en plaats, voor het juiste inzicht?

Lyndsay werd ingelicht. Een broertje of zusje voor Nicholas. Hoewel hij niet meer echt enig kind was nu Klara – een onverwacht soort relatie, onbenoemd, net als zij. Lyndsay zelf geeft er geen naam aan; het kind heeft niet geleerd haar mama te noemen, of oma misschien – dat is de vraag, maar geen probleem: zij is Lyndsay voor het kind, en het ondermijnt niet haar gezag; of wat lijkt op liefde, zo te zien.

Benni is overweldigend energiek, bekleedt haar hoge positie op het bureau om te profiteren van de verbeterde economie, even mooi als altijd, haar gezicht boven het uitdijende lichaam. Als het kind voldragen is (moeilijk om niet te denken in termen van het vocabulaire dat in gebruik is voor de andere zoogdieren die van uitsterven gered moeten worden) kun je pas oordelen. Of de geborene niet ergens is beschadigd, gemuteerd door sperma uitgestoten door een radioactief lichaam. Pas dan. In de tussentijd maar vertrouwen hebben. Wat? Benni's intuïtie. Haar bijdrage aan het begin van een nieuwe toestand. Ze heeft een echo gehad waarop duidelijk te zien is dat de opgekrulde foetus reeds gevormde mannelijke geslachtsorganen heeft. Een zoon. Kan dit wezen pas als zoon zien als andere dingen gecontroleerd zijn. Je kunt je schuldig voelen over iets waar je niet verantwoordelijk voor bent. Derek en Thapelo feliciteren hem als ze, uitgenodigd op zondagse lunches, de last zien die zijn vrouw onder haar wijde jurk torst (Berenice, met haar flair, is in haar huidige toestand Afrikaanse kledij gaan dragen omdat die haar het meest flatteert). Hun uitbundigheid – dachten ze soms dat een man het niet meer kon, na in quarantaine te zijn geweest – is aanstekelijk; dat vraagt om een paar biertjes, die Thapelo bijdraagt om samen met het blikvoer in de wildernis van te genieten. Nickies hand wordt door zijn moeder gepakt en op haar buik gelegd. 'Je kleine broertje wacht daarbinnen.' 'Die wordt niet zo groot als ik.' Iedereen lacht om zijn vroegtijdige wedijver. Maar hij glimt van blije nieuwsgierigheid en verwachting; misschien dat dat het beeld van de vingers die met geweld van het ijzeren hek werden losgetrokken, *Papa! Paul!*, voorgoed zal verdrijven. Klara hoort dat zij ook een broertje krijgt. Waarom niet? Er moet een familie samengesteld worden voor degene die er geen heeft. Ze heeft kennisgemaakt met Jacqueline, de zuster van Paul die in de stad woont, niet in Brazilië of op een struisvogelboerderij. Jacquelines puberdochters zijn aan het tutten met het kleine meisje; ze doen armbandjes om haar armen en strikjes in haar dreadlocks. Waarschijnlijk heeft Lyndsay de toekomstige grootvader geïnformeerd over de te verwachten nieuwe aanwas van zijn zoon, in een van haar sporadische brieven naar Stavanger. Geen reactie aan Paul en Benni uit die contreien. Als zij bericht krijgt van de vader, neemt de moeder zijn brieven niet meer mee naar de familie. Niemand maakt er melding van dat het niet gebeurt. Misschien merken ze het niet eens; Klara en Nickie spelen een wild spelletje, er komen straks vrienden op bezoek. Lyndsay heeft voor het eerst in toga op de verhoogde rechterstoel in de rechtszaal gezeten. Als ze hem dat heeft geschreven, moet hij trots op haar mogen zijn. Nog steeds.

O p een dag kwam Lyndsay weer met een brief, zonder het drukke gezelschap van het kind, nadat ze eerst had gebeld om te vragen of hij alleen was. Ja, zijn vrouw Benni kon niet onder een pr-cocktailparty uit waar Berenice de gast-vrouw moest spelen, ondanks de harde bolling onder het met kralen afgezette Afrikaanse gewaad die, in medisch jargon, aankondigde dat de baby voldragen was.

Zijn moeder lette niet op Nickie, die naar het kinderpro-gramma keek dat hij met Benni's geërfde charme had opgeëist. Ze haalde de brief uit een plastic koeriershoesje en overhan-digde hem, nog eens. De zoon zag dat de envelop niet was opengemaakt – niet-begrijpend, op het punt van geërgerd, wat is dit, ma, wendde zijn blik van haar af. Het adres, in onbekend handschrift.

Hij sneed de envelop voorzichtig aan de bovenkant open en trok het opgevouwen vel papier eruit, gaf het in één beweging aan haar, maar zij ging dicht naast hem staan, hoofd gebogen om de brief samen te lezen.

Stavanger.

Lyndsay herkende het handschrift uit de declaraties die de gids aan het eind van elke week werken in Mexico aan hen gaf. Ze voelde dat haar lippen bewogen terwijl zij samen met haar zoon las, alsof ze een vreemde taal probeerden uit te spreken. 'Beste mevrouw Bannerman, ik wilde u niet laten schrikken door de telefoon, dus ik schrijf u om te zeggen dat hij vannacht is overleden, Adrian. In zijn slaap, de dokter kwam meteen, ik heb gebeld. Hartstilstand. Hij heeft niet geleden. Het was na het theater. We hadden 's middags een mooie wandeling gemaakt bij de zee. Dat was gisteren, de 14de. Dus op die datum is het gebeurd.'

Beiden stopten met lezen. Wat was er gebeurd: hij bleef achter in Mexico, hij ging naar Noorwegen. Weggegaan. Moeilijk een ander soort weggaan voor te stellen. Als dit een brief van Adrian was geweest waarin hij eindelijk vertelde dat hij niet meer terugkwam, dat hij definitief stil ging leven in Stavanger, was het dan anders geweest? Maar wat een krankzinnige escapistische gedachte. Ook al dachten ze het allebei. Adrian is dood. Hij heeft die laatste stilte niet aangekondigd. Hij zwijgt erover. Lyndsay en hij lazen samen gedichten toen ze jong waren, flarden blijven hangen: 'De dood is stilte, dingen die er niet zijn.' De gids met wie hij van zijn pensioen ging genieten, schrijft in zijn plaats.

Haar zoon – hun zoon – ritselt met het vel papier: ze moeten doorlezen. Alsof er ook maar iets te zeggen valt. Is al gezegd: in zijn slaap overleden, in bed naast de gids uiteraard, niet geleden, ze weet dat omdat ze erbij was, ze merkte alleen maar dat zijn borst niet op en neer ging of dat zijn lichaam koud tegen haar aan lag. Ze hadden 's middags samen gewandeld langs de prachtige Noordzeekust, Sola, een theater waar de natte veeg op zijn wang in het licht van het podium de voorbode was van een ander soort verdriet.

Doorlezen. Een witregel, een pauze op de tekstverwerker voordat ze weer verderging met deze brief. 'Mevrouw Bannerman' – alweer, hoewel ze natuurlijk aan haar denkt als Lyndsay, schaamte, schuldgevoel over de toe-eigening van zijn pensioen of de late geruststelling dat deze aanspraak op het huwelijk nooit onrechtmatig in haar bezit zou zijn gekomen: 'Mevrouw Bannerman, ik heb alle informatie verkregen, ik zal het meteen doen als u me de details geeft waar hij ontvangen moet worden. Mijn telefoonnummer en e-mailadres staan boven aan deze brief. Ik kan het regelen. Ik zal zijn lichaam laten overbrengen.'

Glimlachend.

Wat anders. Met het verdriet dat ze ook moest voelen.

Ze lopen het vroege avondlicht in, in de tuin van Pauls huis, die hij verruilde voor die andere tuin. Heen en weer, langzaam, benen bewegen, ook al staat de geest stil. Naar de struiken en de acacia, waar de kinderschommels zij aan zij hangen, er is er ook een voor Klara opgehangen; en weer terug. Lyndsay struikelt over een rondslingerend stuk speelgoed in het snel invallende donker in Afrika, en hij helpt haar in evenwicht te blijven; ook zichzelf, zodat hij kan praten. Zwijgen is alleen voorbehouden aan de doden. Adrian.

Laten we naar binnen gaan.

Niemand anders kan beslissen, alleen zij, zoals de voorwaarden van een andere toestand uiteindelijk ook alleen tussen hen bestonden, in quarantaine. Hij geeft niet plichtmatig aan: jij moet beslissen, jij, zijn geliefde, die ondefinieerbare relatie waaraan door wet en kerk een naam is gegeven: echtgenote. Wil je hem terug; ook al is hij dood. Heeft hij ooit de oeroude wens geuit om in zijn geboortegrond begraven te worden? De gedachte dat in de logische opeenvolging van gebeurtenissen na zijn pensioen hij ergens anders zou doodgaan was nooit bij haar opgekomen. Hij had een hartaanval op de noordpool kunnen krijgen en daar onder het noorderlicht kunnen sterven, die reis met Lyndsay na zijn pensioen die nooit van de grond kwam. Bewaard in ijs, klaar om naar huis gevlogen te worden.

Naar huis. Van Stavanger. Opnieuw beginnen, vanuit het graf. Of uit de as in het crematorium. Er is een nieuw begin, dat ligt daar. Dit is niet het ouderlijk huis dat je hebt verlaten om, zo laat nog, je roeping te volgen, in archeologische opgravingen.

Glimlachend.

Gevonden.

Ze vertelden niets over het aanbod aan andere leden van de familie, niet aan Jacqueline, niet aan Susan, niet aan Emma in Brazilië. Ze stuurden een e-mail waarin ze de gids bedankten, maar haar aanbod afwezen. Zijn moeder vroeg aan Paul of hij zijn naam naast die van haar wilde zetten. Hij liet zijn besef van verlies met zich meereizen in de wildernis, die hem en zijn team, Derek en Thapelo, nog steeds nodig had, steeds weer nieuwe bedreigingen waar menselijke oplossingen voor moesten zijn (als je vader doodgaat, neem je dan zijn plaats in, zoals de natuur dat oplost). Als de kans bestaat dat het mijnbouw-project in de duinen of de pebble-bed reactor onwettig wordt verklaard, is dat het bewijs dat welke roeping of beroep dan ook het waard is nagejaagd te worden in de beperkte tijdspanne van het nietige leven van een individu, dat niet vanuit de ruimte te zien is.

Hoe zij, Lyndsay, haar verdriet – want dat is het toch? – verwerkt, mag niemand vragen en niemand mag zich ermee bemoeien. Het leven van ouders is een mysterie, ook als je zelf met iemand gehuwd bent in een versie van dat mysterie. Zij heeft successen gekend; zoals het verhinderen van de verwoesting van de Pondoland-duinen – mocht dat lukken – een succes zou zijn dat, voor een deel althans, te danken is aan Derek, Thapelo en hemzelf. Zij is benoemd tot rechter van de Hoge Raad, en niet alleen omdat ze een vrouw is, dat staat als een paal boven water.

Adrian is geen taboeonderwerp. Paul weet niet dat zij op haar bureau in haar kantoor een foto van Adrian heeft staan die ze heeft genomen toen ze samen bij een vindplaats waren in Mexico. Adrian komt ter sprake wanneer er zich een situatie voordoet om herinneringen op te halen aan iets wat hij had kunnen opmerken, er samen met hen om had kunnen lachen, en als ze samen naar muziek luisteren en praten over zijn diepgaande kennis waar zij baat bij had en, ja, waar Pauls zo duidelijk toenemende plezier vandaan moet zijn gekomen, zelfs van componisten waar ze nooit naar heeft leren luisteren zonder een gevoel van psychische verwarring: Stockhausen, Penderecki, enzovoort. De enige manier om de stilte te verbreken is misschien iets te hebben doorgegeven. Iets ongrijpbaars.

Uiteindelijk werd er een goed afgesloten doos, geadresseerd in hetzelfde onbekende handschrift, bij haar bezorgd, met daarin een paar kleine archeologische artefacten, een kleine replica van een veren hoofdtooi, die ze met verfijnde traditionele ambachtelijkheid had zien vervaardigen door verkopers bij het Museum van Antropologie, en kennelijk in klad genoteerde gedachten over de ervaring dat je antieke schatten opgegraven ziet worden, terwijl je in een tijd leeft waarin oorlogen worden gevoerd over het bezit van wapens die elk spoor daarvan konden uitwissen. Ze schonk de artefacten, de hoofdtooi en het manuscript aan de archeologische faculteit van een universiteit waar zij een docent kende. Ze vroeg of de universiteitsuitgeverij de kladjes misschien in de een of andere vorm wilde uitbrengen.

AFRIKA'S EDEN DOOR OVERSTROMINGEN BEDREIGD

Dat is het soort lyrisch drama dat een krantenkop maakt van de wateren die Noach moet hebben gezien. Maar niet vanuit de ruimte. Niet vanuit een helikopter. Het team is terug van een tweede onderzoekstocht in Okavango naar met kaarten bedekte muren, uitgespreide luchtfoto's en half opgedronken kopjes instantkoffie. Welke van de twee is de realiteit? Hier of daar. Het is niet normaal om in twee omgevingen te leven; elke reiziger kent de desoriëntatie, het ongeloof, het kortstondige gevolg van het weggaan uit je eigen vertrouwde omgeving en tien uur later een vreemd land binnen te gaan. Maar dit effect van je weer bevinden tussen huiselijke voorwerpen en vier muren, terug uit de wildernis, aarde of water, is een levensvoorwaarde, geen jetlag.

Terwijl ze nadenken en napraten over wat ze beneden gezien hebben, hun waarnemingen, half gehoord, schreeuwend uitgewisseld hebben boven de herrie van de helikopter uit, doet zich weer de vraag voor welke van de twee de werkelijkheid is: de paradijselijke schat die bedreigd wordt, of de bewoners van de centrale delta die te horen krijgen dat ze hun huizen moeten verlaten voordat het water stijgt. Wat gaat er trouwens met hen gebeuren als er tien dammen worden gebouwd die het kosmische plaatje van de wereld, gezien vanuit de ruimte, zullen veranderen?

Moet er niet over nadenken, niet zo. De praktijk van milieubeheer, laarzen in de modder, Thapelo die zo nu en dan bier bijdraagt aan de mondvoorraad, richt zich maar op één kwestie tegelijk, een soort opeenvolging van activiteiten terwijl de commissies zittingen blijven houden, voor of tegen. Wat denken de anderen – over deze mensen?

Derek leest vluchtig een krantenknipsel door met interviews met de deltabevolking over de dammen. 'Niemand zal ons van ons voorouderlijk land verdrijven. Het is een geschenk van God en de grond van onze voorvaderen.'

Hoe komt dit emotionele verhaal, ongetwijfeld oprecht, zoals zoveel (hopeloze) pleidooien (is dat niet het principe om de Amadiba op te zetten tegen de gevolgen van de tolweg) op Thapelo over? Hij is een van die over heel Afrika verspreide mensen die lang geleden zijn verdreven van hun voorvaderlijke grond. En wat hun werd nagelaten was toch 'een geschenk van God', de God van de blanken, niet van de voorouders? 'God', de eerste koloniale, beschaving brengende ingreep, symbolisch voor de onteigening van een heel land.

Thapelo heeft geen boodschap aan de diplomatie van zijn blanke maten. Ruim anderhalf jaar eenzame opsluiting in de slechte ouwe tijd, en geen van de Goden stak een hand uit. Glimlachend beweegt hij zijn vingers op, neer, vanaf de plek waar zijn handen op de tafel rusten, toont respect aan de voorouders, maar accepteert de realiteit. Zijn volk heeft al zo vaak hun huizen moeten verlaten, en niet omdat ze zich in veiligheid moesten brengen voor een overstroming.

'Safarigidsen melden dat er dieren zijn verdronken; we hebben geen kadavers zien drijven.'

'Hebben niet laag genoeg gevlogen, en misschien zijn ze verstrikt geraakt in de ondergelopen rietkragen en zo.'

'Een olifant? Helemaal onder water?'

'Er wordt niet gerept over grote beesten.'

Er is een seizoen met overstromingen op normaal niveau, deel van het ecologisch evenwicht dat het zout regelt, elk jaar weer. Maar zo'n abnormale vloed, op zo'n grote schaal; een enorme overstroming. Kopieën van documenten met achter-

grondinformatie worden rondgedeeld. Volgens de bevindingen – voorspellingen? – van een deskundige geoloog, McCar-
thy, zullen over ongeveer honderdvijftig jaar alle planten vernietigd worden door giftige zouten (Derek begint hardop te
lezen en de andere twee manen hem tot stilte terwijl ze zelf
lezen) en dan zullen de eilanden door het overtollige water
uitgehold worden en de zouten in het moeras terechtkomen.
Maar stroomopwaarts zullen papyrus en nijlpaardengras op
het juiste moment kanalen zijn binnengedrongen, waardoor
het niveau van het zand stijgt en het water wordt tegengehouden. (Tot zwijgen gebrachte Derek kijkt even op: 'Man, dat
weten we allemaal al.' De anderen laten zich niet van de wijs
brengen: 'Chef, je kan nooit alles al weten.') Het water wordt
ergens anders heen geleid en de oude eilanden drogen uit. Dan
vat de turf, zoals het altijd zo onverklaarbaar doet, vlam in die
droge gebieden (heeft iemands god een lucifer afgestoken?)
waardoor een mozaïek van brandende bossen ontstaat tot vijftien centimeter de grond in… Die onbeteugelde branden
kunnen tientallen jaren doorgaan en verwoesten al het daarboven groeiende leven. Nadat de branden zijn uitgewoed,
worden giftige zouten diep onder de grond door zomerregens
weggespoeld. Bouwstoffen van de branden maken samen
vruchtbare grond… Zo zijn de loop van water en vorming
van eilanden voortdurend aan verandering onderhevig… Het
hele organisme dat de naam Okavango draagt, vernieuwt zichzelf.

Fantastisch, cool. *Wola˙! Cho! Jabula˙! Phambili!* Alleen de
kreten uit Thapelo's talen dekken de lading. De wraak van de
Okavango. Honderden kilometers ver ontsprongen, sturen de
Cuebe, Longa, Custi, Cichi, Cubango – rivieren met Afrikaanse namen voordat de blanken hen benoemden met die andere
werkelijkheid, ontdekking voor Europa – met de lenteregens
een stoot water, nee, nu een immense vloed; het nooit opdro-
gende moeras wordt een ondergelopen land (hoe ziet dat eruit

vanuit de ruimte!). Dat laat projecten onder water verdwijnen, wist het idee van tien dammen uit. En het draagt zijn eigen kennis in zich van spreiding, bezinking, kennis van zijn eigen middelen van vernieuwing in het verloop van de tijd.

Doorlezen. Er is echter een probleem waar het levende moeras nog geen verdediging tegen heeft kunnen ontwikkelen: de mens.

Het plan om tien dammen te bouwen is niet onder water verdwenen.

Dus wat is de realiteit. De menselijke realiteit, Chef, jongen, hoe je ook gezien wordt of je jezelf ziet, de directe realiteit van de markt – dáár gaat het om in wat je van de moeder van je kinderen, nog één in de baarmoeder, leert, dát is de echte wereld. Als je de Okavango zijn gang laat gaan, zal hij zich eeuwig vernieuwen. Dat wil zeggen, woah! – de eeuwigheid moet ook gedefinieerd worden: zolang als de aarde niet vernietigd wordt door explosies waarbij onherstelbare straling vrijkomt. Mensen leven niet voor de eeuwigheid; ze leven in een afgebakend Nu. Het ontginnen van de duinen. De Australiërs hebben een contract afgesloten met een bedrijf dat voor eenenvijftig procent door zwarten wordt gerund. De zwarten krijgen een aandeel van vijftien procent in het mijnbouwproject. Terwijl wij druk bezig waren met het International Rivers Network, de World Conservation Union, de Wild Life and Environment Society, al die fijne partners met hun afkortingen, voerden de Australiërs negen maanden lang – dezelfde periode waarin de menselijke eicel, bevrucht door een spermatozoïde van een stralingsoverlevende, tot een voldragen mensje uitgroeit – onderhandelingen over dit akkoord, dat een toewijzing van de regering faciliteert voor een mijnvergunning voor de negenentachtig miljoen rand, zo'n acht miljoen pond (internationale projecten kunnen in veel valuta worden uitgedrukt), dat het project kost. Dat is de officiële ambtenarentaal waarin dit wordt gegoten: 'een toewijzing faciliteert'. Een waardevolle stimulans is geen smeer-geld, jongen. Niemand zal ontkennen dat de zwarten op hoog niveau in de ontwikkelingseconomie moeten instappen; vijftien procent is toch een mooi begin? Thapelo laat een harde schallende lach horen, uit vrolijkheid of schamperheid: is het *yona ke yona*, of *shaya-shaya*, dit stukje zwarte zeggenschap. Komt nog bij dat een tolweg, waarover de gedolven mineralen en ilmeniet (die gebruikt worden voor de stoffen- en cosme-tica-industrie) worden vervoerd naar een hoogoven en ver-werkingsfabriek in de stad, die eeuwen geleden door sentimen-tele Europeanen 'East London' werd gedoopt, een weekloon zouden kunnen opleveren in ruil voor het offer: een paar door God gegeven akkers, een uniek endemisme en tweeëntwintig kilometer zandduinen, waaruit gevist werd in plaats van ge-graven. Kom maar op met die hifi-installaties en auto's. Ja! Makkelijk zat om af te geven op het materialisme en zijn geadverteerde verlokkingen, terwijl als je ermiddenin zit je de luxe hebt om ontevreden te zijn, de vrijheid om ertegen te protesteren.

Wie zal het zeggen.

Dit soort onderzoek is niet aan de orde in deze kamer met twee vrienden – we zijn gewoon aardbroeders, zo niet bloed-broeders – Thapelo en Derek, met wie hij deelt wat zijn ik als realiteit najaagt. Zij. Benni, dat moet je toegeven, is de andere realiteit. Berenice. Die van haar, gekozen, of aanbevolen om-dat hij zo effectief is in het eindige. Word wakker, zo maant ons het reclamebureau.

Dit soort onderwerpen wordt in de tuin achtergelaten.

In quarantaine.

Thapelo wipt zijn stoel achterover, laarzen omhoog, laat hem met een harde klap op de grond neerkomen.

Een gebiedend gebaar. Hij voelt gevaar; afleiding.

H ij wordt wakker van Benni's zachte hand op zijn wang
tegen zijn prikkerige ochtendbaard; haar Berenice-
stem roept lokkend zijn naam. Half teruggekeerd, half in
de andere wereld van de slaap kan hij niet anders dan zich
onderwerpen aan de kalme doelbewustheid waarmee de
vrouw, zoals elk vrouwelijk dier in de wildernis, zich voorbe-
reidt op iets wat een cataleptische beproeving moet zijn; het
omgekeerde van de invasie van het lichaam door demonisch
licht, het tegenovergestelde, het verlaten worden door zo'n
teer deel ervan, dat zich voedde met gemeenschappelijk le-
vensbloed. Ze laat de Afrikaanse jurk over haar buik glijden,
klaar om naar een geboortekliniek in de stad te gaan, geen
afgeschutte plek onder struiken, maar met hetzelfde bescher-
mende doel. De gebeurtenis kan niet gedeeld worden. Ze
begrijpt in elk geval dat hij niet wil kijken, niet erbij wil zijn.
Hij is niet de man die haar voeten masseerde bij de geboorte
van hun eerste kind.

Intussen.
Het water is gezakt. Tijdens de periode van wachten heeft
koningin MaSobhuza Sigcau van Pondoland de pers verteld
dat medewerkers van het mijnproject in de zandduinen de
bevolking bevalen hun huizen te 'ontruimen', om de graaf-
werkzaamheden te kunnen voorbereiden. Ze kregen documenten onder hun neus geduwd die ze moesten ondertekenen; velen zijn analfabeet en sommigen zijn hun koeien en
schapen kwijt als gevolg van de gedwongen verhuizing. Er zijn
verschillende bevelen geweest voor dit soort dingen. *Juden*

heraus. Kies maar. En ons land heeft nog wel het Verdrag inzake Biologische Diversiteit ondertekend en geratificeerd (wat een mondvol, bijna net zo moeilijk uit te spreken als uit te voeren); hoe gaat de minister het op de Wereldconventie brengen dat wij een vierbaanssnelweg gaan aanleggen door een van de belangrijkste gebieden op deze aardbol waar de biologische diversiteit wordt bedreigd? Geef daar maar eens een antwoord op! Het antwoord komt. Vuka, meneer de minister! Word wakker! Nou, we moeten in elk geval toegeven dat ze moesten terugkrabbelen en een motie moesten toestaan tegen hun goedkeuring voor het plan... *Haai*! Vertragingstactiek. Laat de tegenstanders lekker moe worden en in slaap vallen. Intussen. De tien dammen? Alles rustig op dat front, maar zulke kosmische plannen belanden op de plank; die worden niet verscheurd. En de Australiërs? Nog steeds blij met de toezegging om zestien miljoen ton titanium plus acht miljoen ton ilmeniet uit de duinen te mogen halen; dat gaat geheid door. De pebble-bed reactor? Er moet zo'n tien miljard op tafel komen – wat is dat in dollars, ponden, euro's – van buitenlandse investeerders om het ding te kunnen bouwen, maar het project is niet opgegeven. Op geen enkele manier, man! De 'haalbaarheid' en 'veiligheid' worden 'voortdurend geëvalueerd door het desbetreffende departement'. *Voetsek*°! Hardop voorlezen uit de *Stop Press*: 'Dat was duidelijke taal van milieudemonstranten, een delegatie van de Nuclear Energy Costs en de Earth Campaign, die zich vandaag voor de kantoren van de British Trade Investment in Johannesburg had verzameld om een memorandum te overhandigen waarin British Nuclear Fuels werd afgeschilderd als een "monsterlijke" investeerder, samen met Eskom en het Zuid-Afrikaanse staatsbedrijf Industrial Development Corporation, een consortium dat toezicht moet houden op de commercialisering van de pebble-bed reactor.' Intussen. De medisch voorgeschreven tijdsperiode voor de scan, waaruit zou blijken of het lichaam weer bestraald moest worden, verstreek. Voorlopig alles veilig; een andere scan misschien uitgesteld voor een andere beslissing.

De zoon is naar buiten gekomen om de wereld te bevechten met de benodigde uitrusting, wapens – twee armen, twee handen, tien grijpvingers, twee benen, voeten en tenen (controleer even of het er tien zijn), het geslachtsorgaan, dat al duidelijk op de echo te zien was, een mooi gevormd hoofd en open ogen van een diepe onbestemde kleur, die al reageren met het vermogen om te zien. Het sperma van de radioactieve verwekker-overlever heeft geen verstoring of verminking van het verwekte teweeggebracht.

Verwoesting neemt vele bestaansvormen aan; bij deze is de roofdierachtige starende blik gedoofd. Moet Thapelo en Derek weer vragen of ze een paar biertjes komen drinken ter bekrachtiging van nieuw leven.

Thapelo komt als eerste, met een uitbundige bevestiging van ander nieuws dat via hun afluisterconnecties rooksignalen had afgegeven aan het wachtende drietal. De minister van Milieu, Van Schalkwyk, heeft zijn besluit om de tolweg door de Wild Coast in Pondoland aan te leggen, dat een jaar voor deze geboortemaand was genomen, uitgesteld. (Erop teruggekomen? Een ferm nee misschien?) En de minister van Grondstoffen en Energie heeft verklaard dat het pebble-bedproject is stopgezet. 'In afwachting van verder milieukundig onderzoek'; ja, nogal wiedes.

Maar jongens, hoe moet het dan met de zandduinen, het titanium, het ilmeniet voor de make-up van mooie meisjes!

Een definitieve vergunning tot vernietiging mag er niet komen, mag nooit verleend worden. Dat is het credo. Werk aan de winkel. Yona ke yona. Cool. Phambili. Ze barsten gedrieën uit in een half triomfantelijk gelach.

Op de baby! Derek heft zijn glas.

Verklarende woordenlijst

ayeye – uitdrukking om iemand te plagen met zijn fouten
boetie – broertje
braai – barbecue
bundu – wildernis; rimboe
cho – manier van aanspreken om ergens de aandacht op te vestigen
eish – uiting van weerzin
gogga – insect; beestje
haai – hallo, hoi
hadeda – ibis (*Bostrychia hagedash*)
Highveld – gebied (hoogvlakte) in Zuid-Afrika, waarin Johannesburg ligt, ter grootte van België
jabula – verheug u
khan'da – konkelen; samenzweren
lalela – luister
makhosi – stamhoofden; traditionele leiders
Mkhonto we Sizwe – (speer van de natie) gewapende tak van het ANC
nê? – toch?
n'swebu – fantastisch
Nujoma, Sam – eerste president van de onafhankelijke republiek Namibië
pebble-bed reactor – nieuw type kernreactor, waarin met grafiet omhuld uranium, brandstofballetjes ter grootte van een tennisbal, de turbine aandrijven. Wordt actie tegen gevoerd. Aan de veiligheid wordt getwijfeld.
phambili! – ertegenaan!; actie!
sangoma – medicijnman

shaya-shaya – opzettelijk valse uitspraak
tsotsi – straatschoffie; bendelid
tuka – lang geleden
voetsek! – wegwezen!; oprotten!
vuka! – wakker worden!
wola – hallo; hoi
woza! – actie!
yebo! – nou en of!; reken maar!
yona ke yona – cool

Nadine Gordimer bij De Geus

Vertel mij

(diverse auteurs)

Deze bundel is het geesteskind van Nadine Gordimer, die twintig van de beste auteurs uitnodigde bij te dragen aan een bloemlezing met korte verhalen. Alle schrijvers doneerden hun verhalen kosteloos; de opbrengst komt internationaal ten goede aan de bestrijding van hiv en aids in Zuid-Afrika. Met bijdragen van Günter Grass, Gabriel García Márquez, Arthur Miller, Salman Rushdie, José Saramago, Susan Sontag en vele anderen.